미래를 위한 인성교육

미래를 위한 인성교육

발 행 | 2023년 12월 28일

저 자 | 정성동아리(이도경)

펴낸이 | 한건희

펴낸곳 | 주식회사 부크크

출판사등록 | 2014.07.15(제2014-16호)

주 소 | 서울특별시 금천구 가산디지털1로 119 SK트윈타워 A동 305호

전 화 | 1670-8316

이메일 | info@bookk.co.kr

ISBN | 979-11-410-6283-5

미래를

위한

인성교육

이도경 지음

CONTENT

머리말

본론에 앞서 이 책에서 담고 싶었던 내용은 크게 현재 인성교육의 문제를 찾고 그것을 해결할 방안을 제시하는 것이었습니다. 요즈음 교권침해, 그 외 범죄 또는 진상 등의 문제들을 자주 보고 그것에 대해서 '이런 일이 왜 일어날까?' 그리고 '이런 문제는 어떻게 해결해야 할까?' 와 같은 생각을 하던 것이 책을 쓰게 되는 계기가 되었습니다. 우선 현 인성교육을 비판적으로 보기 위해서는 인성교육에 대해서 알아야 합니다. 인성교육이란 사전적 정의로는 다양한 정의가 있을 수 있지만, 일반적으로는 개인의 도덕적 윤리적 사회적 가치 및 행동을 강화하고 발전시키기 위한 교육과정 또는 노력을 뜻하는 말입니다. 즉, 사회적으로 인정되는 바람직한 인간 됨을 뜻한다고 볼 수 있습니다. 또한, 사람이 태어나서 윤리적 가치를 가지고 성장하고 발전하는 과정과 노력하는 행위 자체도 인성교육이라고 볼 수 있습니다. 그리고 인성교육의 중요성으로는 도덕적 가치와 윤리적 행동의 강화, 대인관계 개선, 자기 성장과 자아인식, 폭력 예방과 편견 극복, 사회적 책임감, 인간성 강화 등이 있고 이와 같은 것들은 일회성으로 쓰거나 특정 상황에서만 쓰이는 것이 아니라 살아가는 모든 상황에 쓰이고 있기 때문에 과거부터 현재까지도 여러 곳에서 인성교육이 시행되기도 하기도 하고 대부분 고등학교에서는 인성교육을 일반과목처럼 수업하지 않으며, 모든 과목 안에 함께 포함되어 진행되고 있습니다. 하지만 진상 문제, 학교폭력, 교권침해, 더 나아가 n번 방사건 등 학생들을 대상으로 한 범죄들과 학생들을 통한 범죄들이 늘어나고 있습니다. 범죄들이 증가함에 따라 관심은 점점 많아지고 있습니다. 이런 범죄와 피해를 줄이려는 방법은 무엇이 있을까요? 모두가 예상하셨듯이 답은 인성교육입니다. 하지만 현재의 인성교육은 옛날에 머물러 있거나 아직 부족한 부분이 많습니다. 그래서 이 책은 한 고등학교의 동아리 중, 교육 분야의 장래희망을 품은 학생들이 한 활동과 생각 일부를 책에 담고 동아리 내외의 학생들과 교직 생활을 하고 계신 선생님들이 생각하는 현 인성교육의 실태에 대해 밝히고, 현 인성교육의 한계점과 문제점의 해결 방안들을 역할에 따라 제시하려고 합니다.

1부

인성교육은 어디서 왜 시작됐는가?

인성교육의 역사

교육과 인성교육에 대해 알고 계시나요? 교육과 인성교육은 과거부터 지금까지 오랫동안 이어져 오고 있다는 것과 사람이 살아가는데 필수적인 요소라는 공통점을 가지고 있으며, 교육을 받는 사람의 발전과 성장에 목표를 둔다는 점, 사회적 책임을 이해하고 실천하도록 한다는 점에서 교육과 인성교육은 연관성이 있다는 것을 확인할 수 있습니다. 처음에는 교육의 역사를 소개해 보려고 합니다. 그 이유는 교육과 인성교육은 분리되어 가르쳐진 것이 아닌 함께 가르쳐져 왔기 때문입니다. 교육과 인성교육을 시대별로 나누어 설명하겠습니다. 대한민국의 경우, 고조선으로 거슬러 올라갑니다. 고조선은 기원전 7세기에서 기원전 3세기에 존재했습니다. 이는 문명의 초기 단계이기 때문에 기록이 부족하고 기록들이 불확실한 경우가 존재합니다. 그럼에도 가족 중심의 교육, 농경 및 생활 기술의 전승, 예술 및 신앙교육, 쓰기와 기록, 사회적 계급과 같은 교육이 존재했다고 알려졌습니다.

이러한 교육들은 역사적 배경과 함께 본다면 고조선 시대에서는 농경 사회였기 때문에 기초지식 농업 기술 전통 종교 예절 등을 교육했다고 추정됩니다.

원 삼국 시대에는 중국의 한자를 들여 사용하였으며, 초보적인 교육체계가 발달하였습니다. 삼국시대 때에는 유학을 흡수하고 연마할 만큼 발전했습니다. 이후 고려와 조선을 거치고 일제강점기에 이르러서는 근대적 교육제도가 도입되었으며, 미 군정 시기엔 한국 교육의 대략적인 틀이 기반이 되었습니다. 이러한 교육의 역사에 따라 인성교육 또한 변화를 거쳐왔습니다. 1995년 일제강점기 이후에 만들어진 5.31 교육개혁 계획에도 인성교육이 포함되어 있습니다. 1997년에 고시된 7차 교육과정부터 실천을 통한 인성교육이 범 교과 주제로 등장해 현재 대부분 고등학교에서 인성교육에 대한 교육을 타 교과로 만들지 않고, 일반 교과 내에 포함해 수업하는 형태의 기반이 되었습니다. 이러한 정보들을 조금 더 살펴본다면 '현재 교육은 인성교육과 관련하여 어떤 것이 문제인가?' 라는 질문에 답할 수 있습니다. 현재의 학교 수업은 일제강점기 때에 사용하던 수업을 이어서 사용하고 있습니다. 대부분의 학생분들은 알고 계시겠지만, 이러한 형식은 교사가 앞에서 수업하고 학생들은 줄을 맞추고 앉아 교사의 수업을 듣는 형식입니다. 따라서 현재 교육 형식(방식)은 학생들이 자기 생각을 말하는 것보다 교사들의 정보 전달이 우선시 됩니다. 이는 학생들이 스스로 생각할 기회를 빼앗고 오직 정보를 받아 적는 수업이 되어 의사소통을 통해 자기 생각과 상대방의 생각이 상호작용하고, 서로의 다름을 인정하고 이해할 기회를 방해하는 한 요소가 될 수 있습니다. 또 이러한 수업을 하면서 시험을 통해 학생이 학습하였는지 확인하는 절차가 있는데, 그러한 시험 위주의 학습은 이해보다 암기가 주가 되어 공부의 필요성과 목적 의미 등을 모르게 됩니다. 학습의 의미를 알기 어려워진다고 할 수 있습니다. 학습의 의미 중 정보를 '배우는 지식의 획득 부분'은 충족시킬 수 있지만, '경험으로 행동의 양태가 변화하는 발전'은 충족시킬 수 없습니다. 이러한 부분은 상대방을 이해하고 공감하는 능력을 기르지 못하는 결과를 초래하게 됩니다. 학습을 통해서 학생들은 학습의 의미를 잃게 됩니다 만약 사람들이 서로 이해하지 못하며, 많은 사람이 협력하지 못하는 세상에 되었다고 가정해봅시다. 가정, 기업, 사회를 넘어 국가까지 협력하지 못해 모두가 개인의 삶을 사는 상황입니다. 모두가 개인의 삶을 살아 더는 사회를 구성하지 못하고 현대에서 각자의 역할과 직업의 본분을 다하지 않고 그 때문에 식량난이 일어나고 사람들은 각자 자신의 삶을 지키기 위해 법을 무시하는 등의 기본적인 우리의 삶 또한 사라질 수 있다는 것입니다. 앞 사례와 같이 교육의 역사와 인성교육의 역사와 문제점을 간단히 알아보았다면 교육과 인성교육이 얼마나 오래되었고 어떻게 진행됐는지를 알 수 있었습니다. 그 중 교육과 같이 인성교육도 오래 진행되었다는 것을 알 수 있습니다.

인성교육의 필요성과 목적

　교육의 역사가 깊은 만큼 인성교육도 오랫동안 유지됐다면 '예전부터 인성교육이 중요하다고 생각했고 인성교육의 중요성을 깨닫고 있었다'라고 해도 과언이 아니라고 할 수 있습니다. 그럼 이토록 인성교육이 중요하다고 말하는 이유 즉 인성교육의 필요성을 강조하는 이유는 무엇일까요? 먼저 가장 큰 이유는 의사소통에 있습니다. '인간은 사회적 동물이다'라는 말을 한 번쯤은 들어봤을 것인데요. 그 말은 인간은 혼자 살아갈 수 없다는 뜻이기도 하며 인간이 최정상의 최상위포식자가 될 수 있었던 이유는 사회를 구성하고 이전 세대가 다음 세대에게 정보를 물려줄 수 있었기 때문이라고 해석해도 크게 문제가 되지 않습니다. 또 인간이 함께 살아가며 어떤 정보를 물려줄 수 있었던 것은 의사소통 덕분인데 인성교육을 통해서 인성이 바르게 자라지 못한다면 이런 의사소통을 방해하는 요소로 작용할 것입니다. 당장에 말투만 까칠하다 해도 그 사람과는 대화하고 싶지 않을 것입니다.

또한 고등학교 1학년 국어 시간 대화에 원리 안에 대화에 필요한 곡률들이 있는데 이 또한 대화에는 인성이 영향을 준다는 것을 뒷받침하기도 합니다. 이러한 필요성은 다양하게 있습니다. 그 중 한 가지는 디지털 기계를 다룰 때입니다. 인성과 기계가 관련이 없다고 생각하실 수도 있습니다. 하지만 놀랍게도 이것은 사실입니다. 한국 교육 인격학회의 논문을 보면 '4차 산업혁명에 접어들면서 인간은 디지털기계과 경쟁하는 상황에 놓이고 대부분은 디지털기계를 이기기는 쉽지 않습니다. 그래서 디지털 기계를 다룰 수 있고 디지털 기계와 협력할 수 있는 능력이 필요합니다. 그럼 단순지식보다는 여러 분야의 지식을 함양하여 서로 융합할 수 있는 능력이 필요해집니다. 이에 발맞춰 구텐베르크 프로젝트, 구글 도서관 프로젝트, 검색엔진서비스 등에서 정보를 모두 디지털화하여 정보자원을 공개하겠다고 말하였습니다. 이로써 대부분 정보를 얻는데 사용되는 비용이 '0'에 가까워졌습니다. 이러한 4차 산업혁명의 패러다임은 전문성과 창의성이 필요하며, 일의 효율성과 생산성은 많이 증가했습니다. 하지만 고용을 창출하지 않는 사회, 양극화된 사회, 왜곡된 정보의 사회 등으로 이끌어 갈 수 있다고 하며, 이러한 구조적 문제를 해결할 수 있는 것은 인지적 능력과 살아가면서 필요한 정직, 책임, 배려, 공감, 소통과 같은 인성적 함양이 필요하다'고 밝혔습니다. 이러한 근거를 가지고 우리는 인성교육의 필요는 인성적 함양은 특정 장소, 시간 등 특정한 상황에서만 필요한 것이 아니라 살아가는 모든 공간과 상황에 필요하다고 말할 수 있으며, 사람과 사람 사이에서는 꼭 필요한 능력이라고 해석할 수 있고, 인성교육이 필요하다고 결론지을 수 있겠습니다. 앞 전에 말한 사례 외에도 살아가면서 많은 순간에 인성교육의 필요성을 잘 보여주는 사례가 있습니다. 또한, 올바른 인성 즉 인성적 함양이 필요하다는 것을 알고 인성교육을 하기 위해선 목표가 있어야 합니다.

당연히 모든 일을 할 때 목표가 있는 것은 중요하고 목표를 기준으로 계획을 세우는 절차가 일반적입니다. 그럼 현재 교육부가 추구하는 인성교육 즉 인성교육의 목표는 무엇일까요? 부산교육청에서 밝힌 대한민국 인성교육의 목적은 '창의적이고 건전한 인격으로 타인을 배려하고 존중하며 더불어 살아가기 위한 능력을 배양함에 있다.' 라고 합니다. 하지만 실상은 목표처럼 잘 이루어지지 않고 있습니다. 예를 들어 학교폭력 건수는 매년 증가하고 있습니다. 심지어 초등학생 학교폭력 또한 증가하고 있습니다. 현재 대한민국은 인구수는 줄고 있지만 학교폭력은 늘어나는 기이한 현상이 일어나고 있는데, 이러한 것들을 증거로 인성교육의 목적과는 다르게 인성교육이 시행되고 있다는 것을 설명할 수 있습니다. 그럼 현재 인성교육의 목적을 이루게 하기 위해서는 어떤 부분을 고쳐야 할지 알아보기 위해서 부산 교육청에서 밝힌 인성교육의 목적과 현재의 교육을 하나씩 뜯어 살펴보면, 창의적이고 건전한 인격, 타인을 배려하고 존중하기, 더불어 살아가기 위한 능력 배양으로 나눌 수 있습니다.

첫 번째 '창의적이고 건전한 인격을 키우고 있는가?'라는 질문의 답은 '아니다' 입니다. '창의적이고 건전한 인격을 키워진다면 범죄율이 줄고 범죄의 수위도 낮아질 것이다.' 라는 생각은 보편적 지식입니다. 이것은 '현재 인성교육이 올바른 방향으로 잘 가고 있지 않다 있다.'라고 말할 수 있는 좋은 근거 자료입니다. 현재 범죄율이 줄어들었지만, 범죄의 유형 중 교통범죄의 %(퍼센티지)는 낮아졌지만, 지능범죄와 절도범죄는 %는 올랐고 강력범죄와 폭력범죄는 근 5년간 거의 변하지 않은 것으로 오히려 범죄가 더 치밀하고 더 악랄한 방식으로 일어났으며, 이러한 것들은 목적 중 창의적이고 건전한 인격을 키운다는 목표와 다른 방향으로 가고 있다고 볼 수 있습니다.

두 번째는 타인을 배려하고 존중하기입니다. 이 또한 질문으로 바꾼다면 '타인을 배려하고 존중하는 경우가 늘었는가?'로 바꿀 수 있습니다. 그렇다면 이번엔 질문의 답이 어떨까요? 적어도 제가 생각한 답은 아니다 입니다. 왜냐하면 "우리가 속되게 값질하는 손님을 부르는 '진상'이 과거부터 현재까지 줄지 않고 있다."라고 말해봅니다 이유를 덧붙여보자면 예시를 값질 하는 손님이라는 틀에서 벗어나 '타인을 존중하고 배려하는 경우가 늘었는가?'라는 질문에 여러분 대부분은 자신이 겪었던 일이나 들었던 일이 떠올랐을 거라고 생각이 듭니다. 그럼 역으로 자신은 타인을 배려하고 존중하지 않았던 경험이 있거나 많지는 않으셨나요? 그렇다고 대부분의 많은 분을 인성교육이 '잘못된 사람'이라고 말하고 싶은 건 아닙니다. 적어도 이러한 행동의 책임을 지고 '배려하지 않아서 ~~가 힘들었겠구나' '존중하지 않아서 화가 났었겠구나'와 같이 반성과 그 타인에 대한 공감이 이루어진다면 그 또한 인성교육이라고 할 수 있습니다. 하지만 자신의 이익을 위해서 잘못된 행동을 하고도 반성하지 않고 오히려 당당한 사람들은 한결같이 존재하고 '오히려 더 많아진 것 같다'라는 생각마저 듭니다. 그리고 사이코페시* 성향이 강하여 치료가 필요한 부분을 제외하고는 인성교육의 목적과 방법이 옳아졌다는 가정에서 인성교육으로 잘못된 행동을 고칠 수 있거나 처음부터 그러한 교육을 받아서 이러한 일 자체가 전보다 줄거나 없어지게 할 수 있는 일임에도 줄지 않고 오히려 더 자주 보인다고 생각이 들 정도라면 방법이 잘못되었다는 주장에 힘을 실을 수 있을 것 같습니다.

*반사회적 인격장애이며, 이를 앓고 있는 사람을 사이코패스 또는 소시오패스 등으로 나누기도 한다.

마지막으로 더불어 살아가기 위한 능력 배양인데 많은 것들이 있겠지만, 개인적으로 원만한 인간관계라고 생각합니다 전에 말한 것과 같이 의사소통을 포함한 능력이라고 할 수 있는데 사람들이 잘 어울리고 함께 협력하며 성장해가는 것이 더불어 살아가기 위한 능력이라고 생각합니다. 이것은 의사소통, 배려, 존중 등을 포함하는 능력이라고 생각할 수 있습니다. 다시 앞 전 설명한 의사소통능력과 같은 내용을 다른 사례를 들어 설명해보겠습니다. 이번에 일어난 천안 모 몇몇 학교들의 학생들이 두 초등학생을 폭행하는 사건이 있었습니다. 이런 일에 이유로는 피해 학생이 자신을 뒤에서 험담했다는 이유였는데, 자신을 뒤에서 험담했다는 것은 결국 의사소통의 부족이라고 볼 수 있으며 그러한 이유로 폭력을 한다는 것은 배려와 존중, 의사소통까지 부족하다고 볼 수 있으며, 인성교육의 부족 때문인 일이라고 생각할 수 있습니다. 정리하면 이처럼 원만한 인간관계를 유지하지 못하는 것은 인성, 배려, 존중, 의사소통의 부족으로 볼 수 있으며 이를 통하여 현재 인성교육의 목적과는 대비되는 현실이라는 것을 볼 수 있고, 인성교육이 부족하다고 생각할 수 있습니다. 또 다른 인성교육이 필요한 이유는 국가형성과 유지입니다. '인성교육이랑 국가

형성과 유지가 무슨 관련이 있는지 모르겠다.' 라고 하시는 분들께 설명해 드리려면 먼저 인성이라는 단어를 알아보아야 하는데요. 국립국어원 표준국어대사전 기준으로 '인성'이라는 단어는 인간의 성품 즉 사람의 성품을 이르는 말입니다 그럼 성품의 뜻을 알아보면 사람의 성질이나 됨됨이라는 뜻이 있고 여기서 됨됨이의 뜻을 알아보면 사람으로서의 품격이라는 뜻입니다. 또 품격은 사람됨 바탕과 타고난 성품을 이르는 말입니다. 인성이라는 말은 돌고 돌아 결국 성품이라는 말로 돌아옵니다. 그럼 인성은 성품이라 할 수 있는데 '성품이 훌륭한 사람'이라고 했을 때 사람들은 남들을 잘 도와주는 사람, 법규를 잘 준수하는 사람, 자신의 것을 베풀 줄 아는 사람, 등을 성품이 훌륭한 사람이라고 할 텐데 그 중 법률을 잘 지키는 사람은 올바른 일을 하는 사람이고 성품이 훌륭한 사람이라는 것을 그 누구도 부정하지 않을 것입니다. 그럼 이것을 국가를 유지하는 것과 연관 지어 본다면 '모든 사람이 남의 물건을 훔치지 말아야 한다.' 라는 법률이 있다고 가정했을 때 많은 사람이 성품이 좋지 않다면, 즉 인성이 나쁘다면 이러한 법을 지킬까요? 당연히 지켜지지 않을 것입니다. 간단하고 자신에게 해가 되는 것도 아닌데 말이죠. 그럼 다른 예시를 들어

보자면 '남에게 사기를 쳐서 돈을 뜯어내는 행위는 금한다.' 라는 법률 또한 지켜질까요? 다시 한번 '아니오' 라고 답하게 될 것입니다. 이제 슬슬 눈치채시는 분들도 생길 것으로 생각합니다. 아직 눈치채시지 못한 분들을 위해 한 번 더 예시를 든다면 국민의 소득에 비례하여 일정 금액을 세금으로 내게 한다. 라는 법이 있을 때 이 법을 지키려고 할까요? 이것도 당연히 아니라고 답하실 겁니다. 이제 대부분 눈치채셨을 것 같아 말씀드리자면 현재 우리나라에서도 일어나고 있는 범법행위 중 하나입니다. 이러한 일이 아주 일부만 일어난다고 하면 국가에는 별 타격이 없을뿐더러 아주 일부만 범죄가 일어난다면 그 뿌리까지도 잡아낼 수 있겠죠. 하지만 현실은 그렇지 않습니다. 절도는 매년 증가하고, 사기는 부동산 사기와 같이 큰 규모의 사기도 일어나며 세금을 내지 않는 탈세 또한 매우 많은 범죄들이 일어나고 있습니다. 현재 부족하고 잘못된 부분도 있지만, 보편적으로 인성교육이 공교육과 가정 내에서 이루어지고 있는 나라인데도 불구하고 이러한 범죄들이 늘어난다는 것은 인성교육이 없다고 가정했을 때엔 국가가 국민을 지켜야 하는 의무를 다하지 않고 이러한 범죄들로부터 국민을 보호할 수 없는 상황이 옵니다. 이러한 이유로 인성교육은 국가유지에 영향을 주며 국가유지를 위한 필요한 교육 일부라고 할 수 있습니다.

2부

현재 인성교육 방침에 대한 학생들과 교사들의 생각

앞의 내용에서 인성교육의 역사와 필요성, 목적을 알아보면서 현재의 문제점도 조금씩 제시했는데 2부에서는 현재 학교생활을 하는 학생들과 교직 생활을 하고 계신 선생님들을 대상으로 현 인성교육 실태에 관한 설문조사를 한 결과를 통해서 학생의 시각에서 본 현재의 인성교육과 교사입장에서 본 인성교육의 문제점과 보완점, 해결방안을 제시하기 위한 간단한 배경 등을 제시해 보려고 합니다.

학생들이 생각하는 인성교육의 현재 실태

이 중에서 학생 설문조사를 한번 살펴본다면 '현재 인성교육이 잘 시행되고 있다고 생각한다' 라는 설문조사에 그렇다 45.5% 아니다 54.5%로 절반을 조금 넘는 학생들이 인성교육이 잘 시행되지 않는다고 생각하고 있습니다. 이 수치는 생각보다 그리 인성교육이 잘못되고 있다는 것을 보이기에는 약간 부족한 모습을 보이며 다른 말로 거의 절반은 인성교육이 잘 시행되고 있다고 생각하고 있다는 것입니다. 그러면 인성교육이 잘되고 있다고 생각하는 학생들의 생각은 잠시 제외하고 '인성교육이 잘 시행되지 못하고 있다' 라고 생각하는 학생들이 그렇게 생각한 까닭은 무엇일까요? 설문조사 내용을 살펴본다면 "각종 학생을 통한 문제가 많이 발생하기 때문이다" "요즘 아이들이 어른들께 너무 대드는 걸 보고 배려 예의 존중 사랑이 부족하다는 것을 느꼈습니다." "제대로 된 인성교육을 들은 기억이 없기 때문이다." "현재 학교는 인성교육의 기본인 뿌리를 찾는 활동부터 없기에 인성교육이 부족하다고 생각이 듭니다." "인성이 안 좋은 사람이 너무 많다." "인성교육을 받아본 적도 별로 없고 딱히 뭘 하지 않았다." 등 여러 의견이 있었으며 이 내용을 정리하면, 인성교육을 받은 기억이 없다 또는 인성교육에서 딱히 뭘 하지 않았다가 인성교육을 받은 적이 적은 것 같다. 와 같은 대답들과 배려, 존중, 예의 등이 없다고 하는 학생들의 실태와 인성교육의 기본인 뿌리를 찾는 활동이 없다는 점에서 인성교육 활동에 문제를 제기하는 등 학생들은 인성교육이 부족하다고 느끼고 있습니다. 그리고 이렇게 "학생들이 인성교육의 부족함을 몸소 느끼고 있다면 이 인성교육이 어떻게 시행되어야 한다고 생각하는가?" 라는 질문을 했었는데 그에 대한 답변으로 "학생들이 직접 참여할 수 있도록 게임형식으로 진행하면 좋을 것 같다." "자율 시간에 인성교육 활동을 진행하거나 도덕 같은 인성교육과 관련한 교과로 수업한다." "고전적인 인성교육이 아닌 유동적으로 현재 바뀌고 있는 시대에 걸맞은 새로운 인성교육의 정비가 필요할 것 같다." 와 같이 대답하였습니다. 이것으로 알 수 있는 점은 현재의 인성교육은 학생들의 흥미를 끌기에 부족하고, 고전적, 즉 인성교육이 옛 방식에 머물러 있다는 것이며, 학생들 또한 이러한 사실을 모두 알고 있으며, 인지하고 있다는 것입니다. 따라서 인성교육이 잘 시행되고 있느냐는 설문조사에 그렇다 45.5%, 아니다 54.5%는 절반보다 조금 차이 난다고 말하지만, 실질적인 문제를 알고 조금이라도 관심을 두는 학생들은 대부분 현재의 인성교육 방식에 문제가 있다고 생각하고 현재 인성교육에 문제가 없다고 생각하는 학생 중에는 인성교육이 어떻게 시행되어야 한다고 생각하는가? 라는 질문에 솔직히 안 해도 될 것 같다."와 같은 대답을 하는 모습을 보였고 인성교육의 필요성을 알지 못하고 있다는 것처럼 보이기도 합니다.

교사들이 생각하는 인성교육의 실태

다음은 현재 교직 생활 중이신 교사분들께 설문조사를 한 결과입니다. 인성교육이 잘 시행되고 있다고 생각하는가? 라는 질문에 71.4%는 아니다 28.6%는 그렇다고 답변했습니다. 여기서 학생들의 설문조사와 크게 차이가 나는데, 현재 교사였던 분들 또한 과거에는 학생이셨을 것이며, 인성교육이 잘되고 있는가는 각 개인의 경험으로부터 기준이 세워질 것입니다. 그러면 과거에 학생이셨던 교사분들이 봤을 때 학생들이 인성교육이 잘 안 되었다고 생각하는 비율이 높지만 학생들은 45.5%의 학생들은 인성교육이 잘되고 있다고 생각하는 것을 봐서 예전보다 학생들의 인성교육에 대한 관점이 관대해졌고 인성문제가 과거보다 더 많을 수 있다고 볼 수 있습니다. 다음으로 넘어가면 인성교육이 잘 시행되지 않았다고 생각한 까닭은 무엇인가요? 라는 질문에 '가정교육의 부재와 교권하락, 기본적인 사회적 예의라고 생각했던 부분이 생각보다 잘 지켜지지 않은 모습을 자주 목격함.'이라는 답변이 있었고 여기서 이 답변을 통해서 조금 전 얘기한 예전에 비하여 인성문제가 더 많아지고 인성에 관한 기준이 더 관대해졌다는 것을 더 확실하게 이야기할 수 있게 됩니다. 다음 내용은 "아이들이 스마트폰이나 학원에 시간을 쓴다."라는 답변을 하였고 이 답변을 봤을 때 아이들이 사이버 중독 증세 또는 과도한 학업 때문에 인성교육을 접하는 상황과 인성교육을 진행하기에 시간이 부족하다고 생각할 수 있습니다. 또 다른 의견은 "이론수업이 주가 되고 학생들이 실질적으로 실천하고 경험할 수 있는 현실적인 교육 프로그램의 부재"라고 하였는데 이론수업이 주가 되고 학생들이 실질적으로 경험할 수 있는 현실적 프로그램의 부재라는 것은 바로 전에 말한 과도한 학업과도 연결된다고 볼 수 있습니다. 이는 학벌주의가 심한 한국교육에 시스템상 경쟁이 바탕이 되고 그 경쟁에서 이기기 위해서는 즉 시험이라는 절차를 위해서 자기생각을 표현하며 활동하기보다는 수동적으로 학교에서 수업한 내용만을 학습하게 됩니다. 이 중에 학교에서는 주입식 교육을 통해 학생들을 학습시키기 때문에 학생들이 스스로 생각하며 활동을 하는 교육과정이 거의 없습니다. 또한, 이러한 경쟁 시스템은 타 아이들보다 수업한 내용을 자세히 알고 그 수업한 내용과 이론을 암기 후 문제풀이로 넘어가는 방식으로 생각하는 것보다 기계적으로 문제만을 푸는 것을 반복하여 학생들이 스스로 무언가를 이해하고 실천하기보다는 학교에서 교사를 통해 전달받은 지식을 반복하여 외우고 그저 많은 양의 문제 유형을 푸는 등 자기 생각을 표현할 방법과 상황이 마땅치 않은 현재의 교육 문제점과도 연관이 있다는 사실을 알 수 있습니다. 그리고 시험 위주의 학습 때문에 분명 학교의 내용임에도 학원에서 공부하고 공교육인 학교보다 학원을 더 중요시 생각하는 등의 문제 또한 발생하였습니다. 마지막으로 한 의견만 더 알아보면 "가정에서는 한 자녀, 혹은 두 자녀만 양육하기 때문에 대부분 애지중지 키운다. 학교에서는 큰 잘못을 해도 수위 낮은 처벌만 가능하다."라고 대답하셨습니다. 이 뜻을 하나씩 나눠 확인해 볼 수 있습니다. 우선 "가정에서 한 자녀 또는 두 자녀만 양육하기 때문에 대부분 애지중지 키운다."라는 말은 대부분 부모는 아이에게 좋은 옷, 좋은 음식, 좋은 대우를 받게 하는 등 아이에게 좋은 것 주고 싶은 마음이 있는데, 이러한 마음은 예전에는 아이를 많이 낳아 좋은 것 만 주고 싶은 부모의 마음이 아이들에게 분산될 수 있었습니다. 하지만 요즘은 아이를 거의 낳지 않거나 아이를 낳는다면, 한 자녀 또는 두 자녀를 낳아 부모의 관심과 부모의 욕구가 아이에게 쏠려 과도한 관심 때문에 인성교육이 잘 안 되기도 합니다. 예를 들면 '서이초 사건'이 있습니다. 이를 간단하게 알아보면 초등학교에서 아이가 잘못된 행동을 하였을 때 선생님께서 이를 말렸고, 그 학생의 학부모는 보복성으로 늦은 시간에 전화하고 협박, 폭언하는 등 교사에게 큰 피해를 주어 씻을 수 없는 피해를 주었습니다. 이처럼 자신의 아이가 잘못된 행동을 한 것을 막은 거초자 아이에게 피해를 주었다고 생각하는 듯한 모습을 보여주며, 극성학부모의 모습을 보였습니다. 정리하면 "가정에서는 한 자녀, 또는 두 자녀만 양육하기 때문에 대부분 애지중지 키운다"라는 의견은 부모들이 아이에게 좋은 것만 주고 싶은 마음이 아이가 적어 그 한 아이 또는 두 아이에게만 쏠려 그 마음이 극성으로 변질할 수 있고 이 변질한 마음이 타인에게 상처가 되거나 피해를 주는 등의 문제가 발생할 수 있다는 뜻으로 해석할 수 있습니다.

'서이초 사건'과 비슷한 예시로는 학부모가 교사에게 협박하고 교사를 폭행한 사건인데 이 또한 극성 학부모가 자신의 아이가 잘못된 행동을 지도하는 선생님을 폭행한 사건입니다. 이것들을 제외하고도 극성 학부모 때문에 생긴 피해와 사건은 절대 적지 않고 이러한 피해를 줄이는 것이 중요하다고 생각합니다. 다음은 "학교에서는 큰 잘못을 해도 수위가 낮은 처벌만 가능하다."라는 것을 살펴보겠습니다. "학교에서는 큰 잘못을 해도 수위가 낮은 처벌만 가능하다."라는 말은 학교에서 잘못된 행동을 하거나 남에게 해를 끼치는 행동 등을 해도 그 행동에 관한 책임이 적다는 뜻입니다. 이 말은 학생들이 잘못된 행동을 해도 행동에 맞는 처벌이 아니라 훨씬 더 적은 책임을 지기 때문에 잘못된 행동을 거리낌 없이 할 수 있으며, 아예 처벌을 안 하는 것도 아니라 아주 낮은 수위의 처벌을 받아 "행동에 대한 처벌을 받았으니 끝난 일이다."라는 생각으로 다시 잘못된 행동을 할 수 있습니다.

이러한 것이 반복된다면 학생들은 자신이 잘못된 행동을 해도 큰 처벌을 받지 않아 잘못된 행동에 수위가 높아져 그 아이는 타인들에게 더 큰 피해를 줄 수 있습니다. 이러한 일들의 예시는 교권침해가 있습니다. 간단히 살펴보자면 부산 교사 폭력사건이 있습니다. 이 사건을 간단히 알아보면 부산에 있는 한 중학교에서 중학교 2학년 학생이 교사를 폭행한 사례로 이전에도 부산의 한 초등학교에서 3학년 학생이 교사를 폭행한 사건이 있었습니다. 부산시교육청의 발표로는, 폭행 사건은 학생이 교사의 얼굴과 가슴을 주먹으로 폭행하였습니다. 당시 학생은 체육시간에 체육복을 입지 않고 교복을 입고와 지도를 받는 중이었는데, 지도를 받는 중 학생이 교사에게 욕설하였고, 수업방해로 이어지며 결국 폭행까지 이어졌습니다. 또한, 이 학생은 폭행을 당한 교사를 포함한 다른 교사들과도 갈등이 빚었던 것으로 알려졌습니다. 이에 따른 처벌은 강제전학 조치로 끝났습니다. 학생은 강제전학 처분을 받아도 여전히 학교 생활을 할 수 있고 교육의 권리를 보장받으며 이후 고등학교 진학, 대학교 진학할 때는 기록이 지워져 큰 영향을 받지 않고, 교사만이 아픈 상처를 안고 살아가야 합니다. 또한, 학생은 죄에 맞는 적절한 처분을 받지 않고 살아갑니다. 이러한 사례는 교권침해에 해당합니다. 학생이 교사를 폭행한 일만 있는 것은 아닙니다. 또 다른 교권침해 사례로는 수원에 있는 초등학교에서 일어난 사건이 있습니다. 초등학교 6학년인 두 학생이 복도에서 친구와 싸웠습니다. 이 상황을 본 담임교사는 싸움을 말리기 위해 한 학생을 연구실로 불러 타일렀습니다. 하지만 학생은 흥분을 가라앉히지 못하고 크게 반발하며 연구실 서랍 속에 있는 흉기로 담임교사를 위협하고 결국 타 담임교사가 그 학생을 데리고 옆 회의실로 갔지만, 회의실 책상 유리를 손으로 깨뜨렸고 결국 두 교사는 경기교사노조에 도움을 요청하고 학교 측에도 교권침해를 알렸습니다. 이로 가해 학생의 처분과 교사 보호조치를 위해 교권보호위원회를 열었습니다.

이후 학생은 강제전학 학급교체 출석정지 특별교육 이수 처분을 받게 되었습니다. 이러한 처분은 아무리 어린다는 것을 고려 하더라도 흉기로 위협하고 유리를 깨는 등 정말 위험한 행동을 하여 교사들에게 정신적 신체적 가해를 입혔고, 정말 자칫 잘못했다면 큰일이 일어났을 것입니다. 학교라는 곳은 사회로 나가기 전에 배우는 작은 사회라고들 이야기합니다. 그래서 학교는 사회에서의 처분보다 더 약한 처분을 받아야 하는 것이 마땅하다고 생각합니다. 하지만 그 처벌의 수위가 너무 약하다면 자신이 했던 잘못된 행동에 대한 죄책감과 경각심을 갖지 못하고, 사회에서 같은 실수를 반복할 수도 있습니다. 이어서 학교에서 어떤 잘못을 해도 수위가 낮은 처벌만 가능하다는 내용을 뒷받침할 사례를 두 가지 정도 살펴보았는데, 이것들로 결론을 내어 보자면 현재 학생들의 범죄의 수위는 올라가고 있으며 예전이었다면 상상도 못 할 행동을 하고 학생들의 인터넷을 빨리 접하여 과거보다 다방면으로 수준이 높아졌지만, 처벌은 수위가 굉장히 낮다고 할 수 있습니다. 여기서 처벌이 '교화'라는 것에 목적을 둔다 하더라도 자신의 행동에 관한 책임을 질 정도는 처벌해야 한다고 생각하며, 자신이 어느 정도에 잘못된 행동을 했고 타인에게 얼마나 피해를 주었는지는 알고 인지할 정도는 처벌해야 한다고 생각합니다. 하지만 현재 너무나도 미약한 수위에 처벌 때문에 학생은 교화가 아닌 오히려 잘못된 행동을 하고도 자신에게 오는 벌이 적다고 생각해 오히려 잘못된 행동을 더 많이 하거나 수위 높은 범법행위로 남에게 더 큰 피해를 줄 수 있으며, 학생이 성인이 되었을 때조차도 행동을 고치지 못하여 사회의 한 구성원으로 살아가는 것이 힘들 수도 있습니다.

3부

인성교육의 방식의 현황과 성과와 한계

3부에서는 이제 직접 현재 인성교육의 현황과 성과와 한계를 다루고 그 한계, 즉 문제점의 예시를 통해서 현 교육의 문제점을 다루려고 합니다.

현 인성교육의 방식과 한계

우선 인성교육의 현황인데 이것은 인성교육이 어떤 방식으로 이루어지고 있는가를 뜻하는 말입니다. 또한, 이것은 현재 인성교육이 이 책이 원하는 교육방식이 아니라는 것을 말하기도 합니다. 다시 본론으로 돌아가면 현재 인성교육은 크게 세 가지로 나눌 수 있습니다. 첫 번째는 가정에서의 인성교육이고, 두 번째는 학교의 인성교육 세 번째는 유해매체 증가입니다. 하나씩 살펴보겠습니다.

첫 번째는 가정에서의 인성교육입니다. 요즘 과거보다 인성교육이 덜 되고 있다고 생각합니다. 이에 대한 이유는 인권이 오르는 것에 비하여 인성교육의 방법은 발전하지 않았다고 생각해서인데 과거에는 아이가 잘못된 행동을 하였을 때 물리적인 훈육을 통해서 자신이 잘못한 점을 알고 그 훈육을 다시 받지 않기 위해서 자신의 행동에 관해 책임을 지고 다시 그 행동을 하지 않으려 노력했습니다. 하지만 현재는 훈육의 수위가 낮아져 자신의 행동에 따른 책임감을 지지 않으려고 합니다. 너무 일반화처럼 들릴 수 있지만, 이 말은 모두가 그렇다는 것이 아닌 과거에 비하여 그러한 경향이 커진 것 같다는 말입니다. 다수 학생 또는 요즘 사람들이 자신이 무언가를 잘못하였을 때 어떤 것을 잘못하였고 그 행동을 왜 하지 말아야 하는지를 정확히 모른다고 생각할 수도 있습니다. 또한, 말로 하는 훈육은 시간이 오래 걸릴뿐더러 한번이 아닌 여러 번 심한 경우에는 수십 번을 해야 하는 예도 있으며 이러한 훈육을 하는 것은 굉장히 힘든 일입니다. 그리고 요즘은 예전보다 아이를 적게 낳아 과거에는 아이가 많아서 빠른 효과를 보이는 벌을 주는 방법으로 훈육을 교육했던 것이 문제가 되었었습니다. 그러면 과거에 폭력을 사용하지 않고 말로만 인성교육을 했었다고 하더라도 현재와 같은 문제는 발생하지 않았을 것 같고 아이의 인성교육은 잘되었을 것입니다. 현재와 과거를 비교하며 예를 들어 보자면 아이의 교육을 하는 경험인데 과거에는 아이를 많이 낳아 아이를 키우는 경험이 많았습니다. 그래서 어떤 상황에 어떻게 대처해야 하는지 잘 알고 있었다는 뜻입니다. 경험을 통해 첫째는 잘 못 가르쳤다 해도 둘째 셋째 등으로 교육을 하다 보면, 다음 아이는 더 잘 그 다음 아이는 더욱더 잘 가르칠 수 있으며 차차 방법을 찾아갈 수 있었습니다. 하지만 이와 반대로 요즘은 보통자녀를 1명, 또는 2명, 아니면 대부분은 낳지 않는 추세로 실질적인 경험이 부족합니다. 또한, 말로만 하는 훈육은 훈육의 효과를 크게 보기 힘들다는 것이 많다고 생각합니다. 물론 아이에게 주먹을 휘두르고 훈육이라고 포장하는 것을 정당화하는 것이 아니며, 아이에게 폭력을 사용하지 않는 것이 가장 이상적이고 올바른 훈육이라고 생각합니다. 하지만 이렇게 생각한 까닭은 요청 버그의 도덕성 발달 이론을 근거로 둘 수 있는데 요청 버그의 도덕성 발달이론은 총 6단계가 있으며, 하나씩 설명하면 1단계 처벌과 복종 지향, 2단계 목적과 상호 교환 지향, 3단계 착한 아이 지향, 4단계 법과 질서 지향, 5단계 사회계약 지향, 6단계 보편적 원리 지향이 있습니다. 이 중 1단계와 2단계에는 7살 수준 3단계에서 4단계는 10살 수준 5단계와 6단계는 13살 이후로 볼 수 있다고 하는데 이 중에서 1단계에 처벌과 복종 지향 부분에 내용을 보자면 신체적 벌을 피하고자 '규칙에 복종, 표면적 결과만으로 도덕성 판단' 이라고 합니다. 여기서 주의 깊게 봐야 하는 점은 '신체적 벌을 피하고자 규칙에 복종'인데 이 뜻은 어떤 것이 옳은지 어떤 것이 잘못된 것인지보다 자신이 벌을 받는 것을 기준으로 행동합니다. 그 이후에 점점 단계가 증가할수록 왜 잘못된 행동을 하면 안 되는지를 알아가는 과정이 필요합니다. 그럼 1단계 수준의 아이에게는 심한 물리적 훈육을 제외하고 일부 행동에 대한 상과 벌을 나눠 행동에 책임을 지게 하는 방식이 필요한데 부모들은 자신의 아이에게 일절 벌을 주지 않고 아이가 힘들지 않은 방법으로 인성교육을 하여 아이의 인성을 바르게 잡는 방법을 추구하거나 자신의 아이는 착하고 도덕적이라고 생각하여 인성교육의 필요하지 않다고 생각하는 부모들이 많다고 생각합니다. 그리고 지금의 부모세대분들은 대부분 훈육을 받을 때 물리적인 폭력으로 훈육을 받았습니다. 여기서 말하는 물리적인 폭력은 벌의 일종이기도 하지만 행동보다 과한 벌을 뜻합니다. 그래서 그러한 훈육이 잘못되었다는 것은 알기에 자신의 아이를 어떻게 훈육하면 좋을지 자신이 아는 벌을 물리적인 폭력이었기 때문에 아이에게 물리적인 폭력 없이 훈육하며 더 효과가 좋은 훈육이 없는지 아이가 자라는 동안 특별한 방안이 없이 고민만 하는 시간이 길어지다 보면 그동안 아이는 커가며 그때그때 아이에게 필요한 인성교육을 하지 못하며 아이를 내버려두게 되고 그동안 방치된 아이는 잘못된 길에 빠지거나 자신이 한 행동에 책임을 지지 못할 수도 있습니다. 그러한 예시로는 촉법소년 악용사례들이 있습니다. 사례들을 알아보기 전에 촉법소년이 무엇인지 알아보자면 만 10세 이상부터 14세 미만으로 형벌을 받을 범법행위를 한 형사미성년자를 이르는 밀이며 이들은 형벌법령에 저촉되는 행위를 한 것에 책임을 질정도 수준에 이르지 못한다고 판단하여 형사 처분 대신 보호처분을 받는 미성년자들을 이르는 말입니다. 그리고 이 촉법소년이라는 법을 악용하는 사례들이 증가하는 가운데 최근에 발생한 사례를 살펴보면 촉법소년이 차를 훔치고 경찰과 추격전을 벌인 일이 일어난 일이 있습니다. 이 사건을 조금 더 자세히 보자면 촉법소년이 흰색 SUV를 운전하며 빨간불을 무시하며 경찰차를 피해 달렸습니다. 이후 철조망을 들이받고서야 멈췄다고 합니다. 이 아이는 13살 중학생이며, 체포된 후 촉법소년이라 조사만 하고 집에 돌려보냈는데 바로 다음날 다시 범죄를 저질렀습니다, 또 이 중학생은 이미 저번 달에 다른 중학생 2명과 함께 오토바이 3대를 훔치는 등 범죄를 일으켰다고 합니다. 이러한 촉법소년의 범죄율은 매년 증가하고 있습니다. 아이의 부모들은 의도하지 않았어도 가정에서 충분히 이루어져야 할 만한 인성교육이 되지 않고, 인성교육의 올바른 방법이 부모들에게 알려지지 않으면 이와 같은 촉법소년 범죄가 더 늘어날 것이며, 이를 막기 위해서는 때에 맞는 인성교육이 필요하다고 생각합니다. 그리고 이러한 방치는 또 의도하지 않았어도 학대 중 하나로 볼 수 있다고 생각합니다. 비슷한 예시로는 아이가 무슨 행동을 하든 무관심한 것, 아이가 잘못된 행동을 했을 때 가만히 바라보고만 있는 것 즉 잘못된 상황을 대처하지 않는 것, 또 아이를 무조건 아이는 잘못하지 않았다고 아이의 행동에 대한 책임으로부터 보호하는 것, 남에게 피해를 주고 그에 대한 죄책감을 느끼지 않도록 하고 반성하지 시키지 않는 것 등 아이에게 올바른 가치관을 심어주는 것은 인성교육을 방해하는 요소이며 아이에게 무관심한 부모가 되는 방법의 하나입니다. 아이의 인성에 긍정적인 영향을 주는 것이 부모의 역할인데 현재와 같이 인성교육의 올바른 방법의 보편화가 되지 않는다면 부모의 구실을 하지 못하게 되어 의도하지 않은 학대를 하게 된다고 생각합니다.

두 번째는 학교의 인성교육입니다. 초등학교에서는 행동에서의 인성교육과 교과로서의 인성교육이 있습니다. 초등학교의 인성교육은 중학교와 고등학교의 인성교육과 비교하면서 보면 편한데 초등학교의 인성교육 중 행동에서의 인성교육은 초등학교뿐만 아니라 중학교 고등학교에서도 비슷하게 이루어지기도 합니다. 이해하기 쉽게 예시를 든다면 중학생, 고등학생들이 음주나 흡연을 하는 것은 잘못된 행동입니다. 이때 학생들이 그러한 행동을 하는 것을 교사가 목격하거나 들었을 때 아이에게 그러한 행동은 잘못된 행동이라는 것을 상기시키며 지도합니다. 이러한 방식이 인성교육 방식 중 행동에서의 인성교육이라고 할 수 있습니다. 하지만 행동에서의 인성교육은 현재 크게 효과가 없습니다. 학생인권 조례라는 학생의 인권을 보장하는 법이 생긴 것을 오히려 악용하게 되는 문제가 생겼기 때문입니다. 예전 학교에서는 학생에게 촌지를 받기도 하고 교사가 학생에게 폭력을 행사하기도 하는 문제들이 있었습니다. 그래서 잘못된 점을 막고자 학생인권 조례가 만들어져 학생들을 보호하였습니다. 하지만 오늘날 학생의 인권이 보장된 만큼 학생들은 교사들을 쉽게 생각하는 경우가 늘었고 오히려 교사의 권리보다 학생의 권리가 보장되며 조금 과장하면 교사가 학생의 눈치를 보는 문제점이 증가하는 문제가 발생하였습니다. 또한, 교사의 권리는 보장하지 않아 학생들뿐만 아니라 학생들에 부모님 즉 학부모에게도 사생활을 침해당하고 협박, 보복 늦은 시간에 전화를 계속하는 등의 피해를 보는 것을 국가가 나서서 제지하지 않으며 오히려 학부모의 편에 서 있는 것을 볼 수 있습니다. 교육부는 교사들에게 안심번호를 주는 걸로 일이 해결되었다고 생각하는 반면 이번에 '서이초등학교'에서 교사가 스스로 목숨을 끊는 사건이 일어났습니다. 이러한 것을 증거로 안심번호 또한 현재의 불평등한 권리의 해결책이 아니라는 것을 증명하였습니다. 다음 내용은 교과로서의 인성교육입니다. 이 부분에서 초등학교의 교과로서의 인성교육과 중학교, 고등학교의 인성교육을 비교하기 진에 초등학교의 교과로서의 인성교육을 설명하자면 인성교육과 관련한 과목을 수업하며 아이의 인성교육을 진행하는 방식입니다. 예시는 도덕이라는 과목입니다. 이러한 초등학교의 교과로서의 인성교육을 중학교와 고등학교와 비교해 보면 중학교는 '도덕'이라는 과목을 통해서 인성교육의 주를 포함하고 있습니다. 도덕이라는 과목에서는 초등학교보다는 조금 더 심화한 내용으로 왜 잘못된 행동을 하면 안 되는지 법은 왜 지켜져야 하는지와 같은 내용을 수업하며 아이들의 인성을 다잡습니다. 물론 다른 교과 시간에도 인성교육은 포함된 경우도 많습니다. 하지만 이렇게 초등학교와 중학교와는 다르게 고등학교에는 사회라는 과목에서 일부 도덕적인 내용을 포함하고 있는 일부분의 내용에서 교과과목으로 인성교육을 포함하고 있지만, 그것이 주가 아닌 말 그대로 정의가 무엇인지 법이 무엇인지와 같은 철학과 가까운 내용을 담거나 일반 사회의 내용이 주를 이루어 큰 영향이 없습니다. 그 외는 타 교과 안에 포함되어있는 인성교육으로 구성되어 있습니다. 여기서 타 교과 안에 인성교육이 포함되어있다고 한 것은 대부분

아까 설명한 행동에 대한 인성교육입니다. 인성교육을 정확히 다루지 않고 행동에 대한 기준은 각 선생님은 모두 달라서 기준이 모호하여 학생들이 혼란스러워 할 수 있습니다. 또한, 앞 전에 설명한 것과 같이 행동에 대한 인성교육이 잘 시행되지 못하는 문제가 있어 타 교과에서 인성교육을 포함하는 것은 부족한 면이 있다고 할 수 있습니다.

세 번째는 유해매체 증가입니다. 여기서는 얼마 전까지만 했어도 많은 화제가 되었던 '촉법소년'이라는 법에 대해서 다루어 보려고 합니다. 물론 가정에서의 인성교육에서도 많이 언급했듯 이 '촉법소년'이라는 법은 현재의 아이들에게 적용하기에는 부족한 면이 있다고 생각합니다. '촉법소년'이라는 법은 가정에서의 인성교육에서 설명했듯 크게 보면 초등학생들부터 중학교 1학년 정도까지를 '촉법소년'의 나이로 두고 있습니다. 하지만 요즘은 과거보다 인터넷이라는 것을 이용해 정보와 시사 등을 파악하는 것이 빠르고 인터넷을 통해서 얻을 수 있는 정보 또한 많아져 인터넷이 없던 때에 같은 나이로 비교해 보았을 때 과거보다 의식 수준이 높아지고 학교에서 과거보다 체계적인 수업을 통해 진행하는 교과에 대한 학습량이 더 많아졌습니다. 이는 예를 들어 한 1900년도에 있던 12살 아이는 생각도 못 해본 행동이나 생각을 현재의 아이는 이미 보고 생각하고 행동했을 수 있다고 설명할 수 있는데, 이것을 긍정적인 면에서 보았을 땐 "굉장히 학습과 관한 부분이 굉장히 잘 이루어지며 교육에 긍정적 영향을 끼치고 학습 내용을 생각하고 활동해 보는 교육을 할 수 있다."라는 식으로 해석할 수 있을 것 같습니다. 하지만 실상은 인터넷이 광고 영상매체 등 아주 여러 방면에서 쓰이면서 수많은 콘텐츠가 있는 인터넷에서 눈에 띄기 가장 쉬운 방법이 다른 기사나 제목 광고 글 등 여러 보이는 부분에서 더욱 자극적인 것을 사용하는 것이기 때문에 무리하게 수위를 높여 자극적인 콘텐츠를 제작하는 경우가 많습니다. 이러한 자극적인 콘텐츠들은 다른 자극적인 콘텐츠들 사이에서 살아남기 위해서 전보다 더 자극적인 콘텐츠를 내게 되고, 점점 더 콘텐츠의 수위는 올라가게 됩니다. 하지만 어린 학생들은 이러한 자극적인 콘텐츠들을 구별할 능력이 부족하고 이 과정에서 과거보다 더 빨리 자신의 나이에 맞지 않거나 수위 높고 불건전한 콘텐츠나 자극적인 콘텐츠를 접하게 되고, 이를 통해 악영향을 받은 학생들이 법을 악용하는 사례나, 비속어의사용이 점점 늘어나는 사례, 또한 학교폭력의 수위도 높아지는 등에 사례와 같이 인터넷 사용으로 더 자극적인 콘텐츠들과 전보다 높아진 의식 수준이 만나 '촉법소년'이라는 법을 악용하는 사례까지 이어지게 됩니다. '촉법소년'이라는 법 때문인 피해와 사건들은 매년 증가해 가며 점점 수위도 높은 범죄로 이어지기도 합니다. 따라서 유해매체나 시선끌기용 기사, 자극적인 콘텐츠와 같은 것에 제지가 필요하며, '촉법소년'이라는 법에 변화가 필요하다고 생각합니다.

4부

현재 인성교육의 해결 방안

4부에서는 과거에 머물러 있는 인성교육의 목표에서 현대사회의 필요에 맞춘 인성교육의 새로운 목표 설정, 인성교육의 새로운 방식과 방법 제안, 관련한 교사와 학교의 역할, 디지털 시대의 인성교육과 관련한 기업과 사회의 역할, 현대사회의 필요에 맞춘 인성교육의 새로운 목표에 따른 위한 국가의 역할, 학생의 역할 그리고 마지막으로 내용을 정리하고 이 책에서 말하고자 하고 담고자 했던 말들로 책을 마무리해보려 합니다.

현대사회의 필요에 맞춘 인성교육의 목표 설정

우선 현재 목표에서 현대사회의 필요에 맞춘 인성교육의 새로운 목표를 설정해 보겠습니다. 현재의 인성교육 목표는 '창의적이고 건전한 인격으로 타인을 배려하고 존중하며 더불어 살아가기 위한 능력을 배양함에 있다.'라고 하였고 이러한 목표가 잘 이루어지지 않고 있다는 것도 알아보았습니다. 또 목표가 과거에 머물러 있다는 느낌을 받았습니다. 그리고 전 내용에서 목표가 잘 이루어지지 않아 생기고 있는 문제점들을 알아보았으니, 새로운 현대사회에 맞는 목표를 세워보자면 우선 지금 지켜지지 않고 문제가 있다고 생각하는 부분을 보완하는 방향으로 목표를 세워야 합니다. 그렇다면 지금 문제는 무엇이 있을까요? 바로 지금까지 얘기했던 문제 중 크게 주입식교육, 가정에서의 인성교육, 행동에 대한 수위 낮은 처벌, 교권의 추락 등의 문제가 있습니다. 이러한 문제를 알았다면 이제 현재 사회가 원하는 인성 함양이 무엇인지 살펴보아야 합니다. 현재 세계적으로 경제 산업에 주축이 되는 큰 회사들 예를 들자면 구글, 테슬라, 페이스북, 애플, 삼성 등 여러 기업은 부서마다 팀을 이루어 협력하여 업무를 합니다. 그래서 많은 기업은 지도력, 폴로 십, 의사소통능력 등을 요구하게 됩니다. 사실 지도력과 폴로 십, 의사소통능력은 비슷한 성질을 가지고 있고 이는 기업을 제외하고도 쓰이는 능력이기 때문에 매우 중요합니다. 그럼 이제 정말 목표를 설정해 보자면 '학생들이 사회에서 자신과 타인의 다름을 인정하고 서로 존중하면서 타인을 배려하며 의사소통하고 지도력과 팔

로우십을 지닌 인격체로 교육해 건강한 사회를 구축하는 것'이라고 할 수 있겠습니다. 다음은 학교 교육 방식과 관련한 교사와 학교의 역할을 알아보겠습니다.

새로운 방식과 방법제안

첫 번째는 주입식 교육에서 토론 형식의 교육방식으로 전환하는 것입니다. 주입식 교육에 문제는 자기 생각을 말하지 못하여 그 때문인 표현하는 경험의 부족으로 자신의 감정과 생각을 올바르게 표현하는 방법을 배우지 못하여 잘못된 방법으로 자신의 감정으로 표현하여 타인에게 피해를 주는 경우가 있습니다. 그렇다면 이러한 잘못된 표현을 고치는 방법은 자기 생각과 감정을 많이 표현해보도록 하는 수업을 하는 것입니다. 즉 주입식 교육에서 토론의 방식이나 조별활동 위주로 학생이 스스로 수업에 참여하게 하여 자신이 어떤 생각이 있고 어떤 감정을 가졌는지를 학습하고 이야기하며 올바르게 자기 생각과 감정을 표현하는 방법을 알게 됩니다. 물론 모든 수업을 토론의 방식으로 한다면, 토론내용이 현재 교과 수업내용이 될 것입니다. 그렇다면 주입식 교육으로 하는 것보다 더 많은 시간을 투자해야 교과내용을 학습할 수 있을 것입니다. 그러면 원래 교육보다 더 오랫동안 교과 내용을 학습해야 하므로 내용학습 측면에서는 원래 주입식 교육만 사용하는 경우보다 효율이 떨어질 수 있습니다. 그럼 이러한 단점을 보완하는 방법을 알아보면 여러 방법의 하나는 주입식 교육을 일부 사용하는 것입니다. 이 해결방안은 모순적이면서도 효율성만 따진다면 가장 뛰어난 해결방안입니다. 주입식 교육이 좋지 않다고 말하며 문제점을 제시했지만, 그에 반하여 교사의 교과내용을 전달하는 능력 또한 인정하고 이야기를 전달하는 능력은 뛰어난 것에 비하여 자기 생각과 감정을 생각하고 표현하는 기회가 적어 인성교육에 좋지 않은 수업방식이라고 하였습니다. 하지만 이를 잘 이용한다면 수업내용을 주입식 통해서 교과내용을 학습하고 차후 활동을 토론수업으로 연결하는 등의 방식으로 수업하는 방식으로 이끌 수 있습니다.

그래서 처음에는 교사가 교과내용을 수업하여 기본 이론에 대해 설명하고 이후 교사는 교사가 수업한 교과내용에 관해 토론할 주제를 정해주고 학생들끼리 주도적으로 토론을 진행하도록 합니다. 또한, 이 때 한쪽 의견에 힘이 실린다면 교사는 힘이 실린 반대편 의견에 주장을 들어 도움을 주어 균형을 맞추어 토론을 계속 이어나가도록 도와줍니다. 또한, 토론을 진행하다 보면 중간에 토론 주제에서 벗어날 때가 있는데 이때 교사는 학생들이 주제에서 벗어난 것을 인지시키고, 다시 주제로 돌아올 수 있도록 도와야 합니다. 이러한 방식을 반복하며, 진행하여 그 교과와 관련한 토론을 합니다. 이를 통하여 학생들은 교과내용에 대한 스스로에 대한 생각과 토론을 할 때 자신의 주장과 다른 의견을 이해하는 태도, 토론하는 과정에서의 감정조절 등을 기를 수 있고 이를 통해 인성교육을 진행할 수 있습니다. 또 자신의 의견을 말할 줄 알고 타인의 생각에 공감하고 포용하는 능력이 길러짐으로 인하여 학생들이 사회에서 중요한 의사소통능력과 지도력, 폴로 십 등을 기르고 협력하는데 크게 도움이 되며, 현재 사회에 큰 도움이 될 것입니다.

두 번째는 교과로서 인성교육을 하는 입니다. 고등학교에서는 인성교육을 하는 과목이 따로 존재하지 않습니다. 따라서 인성교육을 교과목으로 하여 수업하는 것입니다. 인성교육 과목의 예시는 도덕의 상위 개념을 담을 과목 수업을 개설하는 것인데, 여기에는 왜 인성이 중요한가? 와 같은 윤리적이거나 철학적 내용을 포함하는 내용을 담는 것입니다. 여기서 비슷한 선택과목인 윤리와 사상과 차이점은 필수과목으로 지정해 모든 학생이 수업을 듣게 하고 내용을 암기를 통해 학생이 내용만을 외우는 것이 아닌 정말 왜 인성이 중요한지와 같은 질문을 스스로 던지고 그에 대한 스스로 생각을 할 수 있도록 하는 것입니다. 이렇게 스스로 고민하고 생각하는 활동들은 문제해결능력과 자기결정력을 강화시키고, 창의성 증가, 자기 인식 증진 책임감 강화 자기 주도적 학습 등과 같은 능력을 기를 수 있습니다. 이 중 문제해결능력은 현재 사회가 원하는 능력 중 하나이며, 많은 대학교에서도 문제해결능력을 갖춘 학생을 원하는 경우가 많습니다. 그리고 자기결정력은 자신이 어떠한 선택을 하는데 더 잘 선택하도록 돕는 것입니다. 자기결정력이 높다면 무언가 선택해야 하는 상황에서 선택을 더 잘할 수 있고, 자신의 선택에 확신을 할 수 있습니다. 다음은 창의성 증가입니다. 창의성이 증가하는 과정은 타인의 의하여 정보가 전달되거나 주입된 것이 아닌 스스로 상황을 가정하면서 질문에 대한 답을 생각하는 과정에서 창의성을 기를 수 있습니다. 그다음은 자기 인식 증진인데 자기 인식 증진은 자신의 강점은 무엇이고 단점은 무엇인지 알게 하는 능력입니다. 이 능력의 장점은 자신의 강점과 단점을 명확히 알게 하여 자신이 고칠 점을 빠르게 찾고 그것을 바탕으로 개인적인 성장을 촉진합니다. 다음은 자기 주도적 학습이고 조금 전 내용에서 말했듯 스스로 생각하고 고민하는 과정에서 문제 해결 능력이 강화되어 스스로 문제를 해결하려는 태도로 자기 주도적 학습에 영향을 줄 수 있습니다. 마지막은 책임감인데 책임감도 이미 전에서 제시한 자기결정력과 연관 있으며 자신이 스스로 결정한 선택이기에 탓을 외부로 돌리는 것이 아니라 자신의 선택에 자신이 책임을 지는 과정에서 책임감을 기를 수 있습니다. 이러한 능력들을 갖추면서 학생들은 조금 더 성숙한 시민으로 자라게 하고, 사회에 이바지하는 구성원으로 자라게 됩니다.

　세 번째는 교사만 수업하는 것이 아닌 학생도 수업하는 것입니다. 이 말은 현재 공교육에서는 교사만 수업을 진행하는 방식의 교육으로 진행되고 있는데, 교사만 수업해야 한다는 고정관념을 깨고, 학생 또한 수업을 해보는 방식으로 교육하는 것입니다. 이와 비슷한 공부법의 예시는 많은 사람이 유대인 공부방법이라고 알고 있는 하브루타가 있습니다. 하브루타는 토론교육법이며, 논쟁을 통해 진리를 찾는 공부방법입니다. 이 토론방법과 학생들이 수업을 진행하는 것에 공통점은 자기 생각을 바탕으로 주제를 바라보고 그 주제를 설명한다는 것이 비슷한데 과거의 한 실험에서 하브루타와 같이 타인에게 무엇을 설명하는 방식의 공부를 한 사람들이 일반적으로 생각하는 공부인 수업을 듣고 책을 보고 노트로 정리하는 것보다 더 빨리 학습하고, 오랫동안 기억한다는 결과가 나온 실험이 있었습니다. 그래서 학생들이 수업을 해보는 것 또한 굉장히 좋다고 생각을 합니다 이처럼 학생이 수업을 받는 것이 아닌 수업을 하는 활동은 학업역량에 크게 영향을 줄 수 있을 것입니다. 그렇다면 학업역량을 제외한 장점과 학생들이 수업을 어떻게 해야 하는지 처음부터 수업을 학생이 해야 하는지 순으로 소개하자면, 먼저 학생들이 수업을 준비하면서 수업자료와 수업방식에 대해 고민하게 될 것입니다. 또 수업자료를 만들고 수업을 준비하기 위해서는 수업할 내용을 정확하고 자세히 알아야 합니다. 그 과정에서 학생들은 수업내용에 관해 공부하고 탐구하여 자신이 수업할 부분을 보다 전문적으로 공부하게 됩니다. 이 수업자료를 만들고 수업을 준비하는 과정에서 학생들은 원래 수업을 해오셨던 교사들을 존경하는 마음을 가지게 되고 그에 따라 교권침해의 문제는 줄어들 것입니다. 또 학생들은 수업하며, 다른 사람들 앞에서 말하고 발표하는 법을 익히게 됩니다. 발표하는 법을 익히게 되면 이후 회사에서 면접을 볼 때, 프레젠테이션을 준비할 때 등 많은 경우에 쓰이게 됩니다. 이 능력은 학교에서 벗어나 사회로 진출하였을 때도 굉장히 중요한 능력이며, 다른 사람들에게 자기 생각을 말하는 데에 큰 영향을 줍니다. 그리고 자신이 수업하는 과정과 피드백을 받아들이는 과정에서 자신의 감정과 생각을 많이 표현하는 경험을 쌓을 수 있고 그러한 경험으로부터 학생은 정서발달과 인지발달을 통해 타인의 감정을 공감할 줄 알고, 자신과 타인의 다름을 인정하며, 상대방을 존중하는 올바른 사회인으로 성장할 수 있습니다. 그렇다면 학생들이 어떻게 수업을 해야 할까요? 수업을 받기만 하던 학생들에게 바로 수업을 하라고 한다면 잘하지 못하고 어떻게 해야 하는지도 모르는 학생들이 많을 것입니다. 그래서 학생들이 수업하기 전에 수업하는 방법과 수업의 목적을 설명하고 주제를 못 정하는 학생들을 위해서 교과에 내용으로 주제를 설정하여 교과에 내용을 탐구하고 학습하도록 합니다, 그 후에 학생은 학습한 내용을 주제로 수업자료를 제작하여 발표합니다. 그 후에 교사는 학생이 한 발표의 내용과 발표하는 모습을 바탕으로 문제점을 찾고, 피드백으로 문제점을 고칠 방법을 제시합니다. 또한, 여기서 수업주제가 교과내용인 것도 좋지만, 학생들이 교과내용에서 벗어난 자신의 관심사, 사회문제, 등 여러 주제로 수업하는 방향으로 하여 학생들의 창의성을 강화시키는 것도 좋은 방법입니다. 또 그렇게 한다면 교과내용에는 흥미를 느끼지 못하는 학생도 관심 분야에 대해 더 알아볼 기회가 되기도 합니다. 지금까지 학교 교육과 관련한 교사의 역할을 소개하기 위한 학교 교육과 관련한 수업 3가지를 제시하였는데, 제시한 3가지 방법의 공통점은 교사들이 주도적으로 학습을 이끄는 것이 아니라, 학생들이 주도적으로 학습을 이끄는 것입니다. 교사들은 학생들이 학습할 때 방향을 잡아주고 잘못된 점을 찾고, 피드

백하는 역할이 대부분입니다. 즉 교사가 학생을 이끄는 교육자가 아니라 방향을 잡아주는 이정표의 역할을 하는 교육자가 되어야 한다는 것입니다. 학생이 충분히 생각하고 고민할 시간을 주고 질문 또는 잘못된 방향으로 가고 있을 때만 개입하여 학생들이 생각하는 것을 최대한 막지 않는 선에서 도움을 주어야 합니다. 따라서 교사의 역할은 학생들이 교과 내용 또는 학생의 흥미 분야를 충분히 탐구하도록 도와주어야 하며, 학생이 다양한 활동으로 지도력을 성장시키고, 학생이 스스로 학습에 참여하여 자신이 학습한 내용을 설명하고 그에 대한 자기 생각을 말하는 활동을 통해 서로 다름을 인정하고 존중하는 교육을 해야 합니다. 또 학생이 잘못된 방향으로 나아갈 때와 학생이 충분히 알지 못해 질문할 때, 부족한 부분과 보완할 점과 같이 꼭 필요한 부분만 개입하며 학생이 스스로 생각하는 경험을 길러 주어야 합니다. 이것들이 현재 사회에 필요한 인성교육이고 인성교육의 관련한 교사역할이라고 생각할 수 있을 것 같습니다.

다음은 디지털 시대의 인성교육과 관련한 기업과 사회의 역할을 소개하려 합니다. "공교육과 인성교육을 주로 다루다가 갑자기 뜬금없이 왜 디지털 시대의 인성교육을 왜 다루냐?" 라고 의아해하실 수 있습니다. 하지만 문제점에서 제시하였듯, 학생들은 인터넷 발달로 인하여 예전보다 더 많은 정보를 얻고 그로 인하여 학생들의 범죄의 수위가 높아졌다는 것을 소개하였습니다. 그렇기 때문에 정보윤리가 중요하다고 할 수 있습니다. 그러한 정보윤리를 교육을 하는 방법은 두 가지로 볼 수 있는데, 하나는 일반적인 공교육에서의 시청각 자료를 통한교육으로 정보윤리를 교육하는 방법과 기업이나 사회에서 교육을 하거나 사회 분위기를 조성하는 것입니다. 이 두 가지 방법 중에서 기업과 사회에서 교육하고 사회분위기를 조성하는 것이 더 좋다고 생각합니다. 왜냐하면 학교에서 디지털의 관한 정보윤리를 수업하면, 정보라는 과목으로 학습하게 됩니다. 그리고 정보라는 과목과 자율시간에 수업을 합니다. 하지만 정보수업은 일부 학교에서는 필수과목으로 하고 또 다른 학교에서는 선택과목으로 하는 등 학교마다 상황이 달라 일부 학생들은 정보윤리 수업을 듣지 못 하는 것과 같은 문제가 생길 수 있습니다. 또 다른 경우는 자율시간에 시청각 자료로 수업을 하는 경우인데, 사실상 자율시간에 시청각 자료에 집중을 잘 하지 않고, 중요시하지 않고 수업참여만 하여 다른 활동을 하거나 자습을 하고 심하면, 자율시간에 학생들끼리 노는 경우까지 있습니다. 이러한 경우들이 있기 때문에 학교에서 정보윤리에 대해 수업하는 것보다 기업과 사회에서 교육하는 것과 정보윤리를 중요시 여기는 사회적 분위기를 조성하는 것이 중요하다고 말하는 것입니다. 학교수업의 한계를 알아보았으니 이제 정말로 왜 기업과 사회의 역할이 중요한지 소개해보도록 하겠습니다.

우선 기업은 이익집단으로 수익을 내어 자본을 목표로 사람들이 모입니다. 그리고 기업은 수익만 추구하는 것이 아닌 기업에서 일어난 일에 대한 책임을 지거나 사회에 일부 환원하며 사회적으로 긍정적인 영향을 줍니다. 기업 중에서 디지털 관련한 기업들은 it, 프로그램, 어플리케이션 등을 통해 수익을 내는것이 보통입니다. 그럼 이것들 중에 일반적인 사람들에게 가장 큰 영향을 주고 있다고 생각하는 어플리케이션을 알아보겠습니다. 어플리케이션의 종류에는 흔히 말하는 게임, SNS, 은행, 독서, 프로그램, 카메라 등등 굉장히 많은 종류의 어플리케이션이 있습니다. 어플리케이션이 일반적인 사람들에게 큰 영향을 주고 있다고 생각했다고 말했는데 그 중에서 영향을 주는 것에 비중이 가장 크다고 생각하는 어플리케이션은 SNS라고 생각합니다. 이유는 SNS는 많은 사람들이 정보를 주고받는 것이 주가 되는 어플리케이션이기 때문입니다. 서로 정보를 공유하는 것은 대중적인 것부터 개인적인 일까지도 공유가 가능합니다. 이렇게 서로 정보를 공유하며 소통하는 것은 문제가 되지 않습니다. 하지만 이러한 장점들이 오히려 독이 되어 잘못된 쓰임으로 문제가 생길 수도 있습니다. 예를 들어보면 기본적으로 SNS에는 검열기능이 있기는 하지만 교묘하게 검열의 사각지대에서 잘못된 방법으로 SNS를 이용 되는 경우가 있습니다. 사각지대에서 어떤 문제가 발생할까요? 크게 세 가지가 있습니다. 첫 번째로는 비행청소년의 문제 두 번째는 성폭력의 문제입니다. 마지막으로 세 번째는 자극적인 영상매체라는 문제점이 존재합니다.

첫 번째인 비행청소년의 문제를 설명해 보자면 학교폭력도 있지만, 학생들이 학생수준에 맞지 않은 행동을 하는 것으로 설명할 수 있을 것 같은데, 학생들이 학생수준에 맞지 않은 행동 한다는 것은 예전처럼 "학생이면 공부만 해라"라고 하는 것이 아닙니다. 하지만 학생들이 술을 마시고 담배를 피우는 것은 잘못된 것이 맞습니다. 그 이유를 간단히 알아보면, 일단 미성년자들에게 법적으로 술과 담배등과 같은 미성년자들에게 부적절하거나 위험한 물건을 팔지 못 하게 제한을 하여 미성년자를 보호합니다. 그렇다면 학생들이 술과 담배 등을 어떻게 사용할까요? 바로 대신 구매해달라고 요구하거나, 판매원을 속이고, 이러한 법을 잘 지키지 않는 가게들을 가는 등 여러 방법으로 구매합니다. 판매원을 속이는 경우에는 미성년자에게 유해물질을 팔면 그 가게는 영업정지와 같은 피해를 입게 됩니다. 이러한 경우는 SNS와 관련이 없습니다. 하지만 유해물질을 사용하는 것은 SNS와 무슨 관련이 있을까요? 바로 유해물질을 판매하는 곳과 방법 등을 공유합니다. 이렇게 유해한 정보들이 SNS를 통해 더 빠르고 쉽게 알려지게 됩니다. 또한 학생들 같은 경우에는 친구의 행동을 따라 하고 함께 동조하는 모습이 자주 보입니다. 그래서 학생들이 서로 SNS를 통해서 잘못된 방법으로 담배나 술을 구매하는 것도 문제지만 SNS를 통해서 학생들이 술을 마시고 담배를 피우는 모습을 개인SNS에 공유합니다. 그러면 그러한 친구를 보고 잘못된 행동을 같이 하게 될 수 있습니다. 추

가로 술과 담배와 같은 유해물질에 관한 것이 아닌 학교폭력에도 SNS가 이용되는 경우가 있습니다. 학교폭력들은 신체적 폭력, 언어폭력과 정신적 폭력, 등 여러 종류가 있습니다. 이러한 것들을 SNS와 관련하여 하나씩 설명해보겠습니다. 우선 신체적 폭력과 SNS는 크게 관련이 없는 경우가 많습니다, 하지만 종종 폭력을 한 가해학생이 자신에게 폭력을 당한 피해학생을 개인 SNS에 게시하여 많은 사람들에게 조롱거리로 내몰기도 하는 경우가 있습니다. 또 이와 연결되는 언어 폭력과 정신적 폭력이 있습니다. 이는 과거에 SNS를 통해서 폭력을 한 것 뉴스에 나올 정도로 심하다고 생각하는데요. 언어폭력과 정신적 폭력에 대해 더 자세히 알아보면 피해학생은 가해학생에게 폭력을 당한 후에 가해학생의 SNS에서 조롱을 받거나, 또는 단체 메신저를 강제로 초대해 욕설을 하고 그 방을 나가면 다시 초대하고 나가지 못하도록 협박을 하는 등 SNS를 통한 학교폭력이 있습니다. 이렇게 SNS를 통한 학교폭력을 알아봤습니다. SNS를 통한 학교폭력은 인터넷을 많이 사용하지 않았던 과거에는 직접적인 학교폭력으로 바로 파악할 수 있었던 과거에 비하여 현재 SNS 학교폭력의 모습이 표면적으로 잘 드러나지 않는다는 점이 특징입니다. 그래서 과거보다 더 교묘한 방법으로 폭력이 이루어지고 이러한 특징 때문에 제3자들이 학생이 폭력을 당하는지 파악하기 힘들어 학생이 직접 표현하지 않는다면 잘 도와줄 수 없습니다. 다음은 SNS를 통한 성폭력입니다. 먼저 가장 큰 문제가 되었던 'n번방사건'을 모두가 아시겠지만 간단히 소개해볼까 합니다. 'n번방 사건'은 성폭력범죄 중에서 사이버 성범죄까지 포함할 정도로 큰 범죄였습니다. 우선 2018년도 하반기부터 2020년 3월까지 텔레그램, 디스코드, 라인, 워커, 와이어, 카카오톡 등 여러 메신저 어플리케이션을 이용하여 피해자를 유인한 후 협박해 성착취물을 찍게 하고 이를 유포한 디지털 성범죄 성 착취 사건인데요. 이 사건의 피해자에는 중학생 등 미성년자를 대거 포함하고 있었습니다. 정말 다시는 있어선 안되고 너무 안타까운 사건입니다. 이 사건에 사용된 메신저 어플리케이션은 SNS

어플리케이션입니다. 이러한 SNS를 통한 심각한 성범죄가 일어났습니다. SNS 특징 중 하나인 빠른 정보가 큰 영향을 끼친 것으로 보입니다. 개인의 정보를 공유하는 것을 넘어서 성범죄와 같은 유해매체를 검열의 사각지대를 이용해 공유하였던 것이 문제가 되었다고 생각합니다. 마지막은 자극적인 유해매체입니다. 자극적인 유해매체는 다양한 것으로 말할 수 있는데 가장 대중적인 것은 영상매체입니다. 전에도 언급했던 것처럼 영상매체들은 경쟁을 하면서 더 많은 사람들을 끌기 위해서 점점 더 자극적인 주제와 콘텐츠 만들게 됩니다. 그러한 영상들이 증가하면서 학생들이 보기에 부적절한 영상이 증가하고 이를 판단할 수 있는 능력이 부족한 학생들은 부적절한 영상을 모방하거나 그에 영향을 받아 행동, 말투나 언어, 가치관 등에 변화가 생기고 그로 인해 심한 경우에는 정상적인 생활을 하지 못하는 상황도 생길 수 있습니다. 이러한 예시에는 영상매체만 있는 것은 아닙니다. 바로 뉴스에서도 상황은 비슷한데 뉴스에서는 제목으로 독자들의 관심을 끌어 기자들이 쓴 글을 읽도록 하는 것이 목표입니다. 요즘 보통은 뉴스 기사를 휴대폰이나 인터넷으로 확인합니다. 그리고 특정 사이트나 커뮤니티에 글을 올려 조회수로 수익을 얻는 구조입니다. 따라서 수익을 얻기 위해서는 글을 실질적으로 읽지 않아도 우선 글을 쓴 페이지로 이끌어야 합니다. 그렇기 때문에 제목으로 유인을 하여 글을 씁니다. 이 중에서 대부분은 제목과 관련 없는 내용을 포함한 기사들이 있습니다. 왜 내용과 관련 없는 제목을 쓰면서까지 기사를 쓰는 것일까요? 답은 바로 전에 말한 수익구조 때문입니다. 조회수를 늘려 수익을 얻는 구조이기 때문에 기자들은 관련 없는 제목 또는 거짓된 내용을 쓰기도 하고 자극적인 기사를 쓰기도 합니다. 이는 가짜 뉴스 등으로 퍼져갈 수 있고 잘못된 정보를 받아들인 일반 독자들은 잘못된 사실로 말과 행동을 통해 또 다른 사람에게 정보가 전달되고, 그러한 현상이 반복되며, 자극적인 기사에 쓰인 사람은 피해를 보게 됩니다. 또 기사에 직접적으로 대싱을 냉확히 쓰지 않은 경우는 글을 읽은 독자들은 명확한 중

거 없이 추측 성으로 말을 하기 때문에 한 명이 아닌 여러 사람들이 피해를 입게 됩니다. 이렇게 SNS를 통한 피해를 크게 3가지정도 알아봤는데요. 이러한 피해들은 범죄에 이용한 사람들은 당연히 책임을 지고 처벌을 받아야 하고 SNS를 운영하는 기업들 또한 책임을 져야 합니다. 그럼 책임을 지는 방법에는 어떤 것이 있을까요?

첫 번째는 현재의 검열기능을 강화하는 것입니다. 여기서 말는 검열기능은 SNS사용자들이 부적절한 사용으로 다른 사용자에게 피해주는 경우를 막는 것인데, 예를 들어 일부 키워드를 포함한 글을 게시하지 못하게 하는 것입니다. N번방 피해자들은 보통 일탈계라고 불리는 계정을 사용하는 여성을 주로 목표로 삼아 하였습니다, 이와 마찬가지로 부적절한 내용을 포함하는 글이나 게시물이 있다면 그것을 표현하는 해시태그라고 불리는 키워드가 있을 것입니다. 그리고 그 단어나 문장 등을 검열기능으로 제한한다면, 부적절한 게시물을 올리는 사람들은 줄을 것이며, 그것을 찾는 사람들도 찾아도 나오지 않기 때문에 부적절한 게시물을 찾는 사람들 또한 줄게 될 것입니다.

두번째 방법은 보호모드를 자체적으로 설정하는 것입니다. 자세히 설명하자면 SNS 어플리케이션을 사용하기 전에 본인인증과 나이를 하는 것입니다. 이를 통해 미성년자는 미성년자들이 보기 부적절한 게시물로부터 보호합니다. 또 성인들은 자신이 올린 게시물에 대한 책임과 자신이 본 게시물에 대한 책임을 지도록 하는 것 입니다. 이렇게 기업은 미성년자를 보호하고 성인은 자신의 행동에 책임지도록 하여 수위가 높은 폭력적이거나 유해한, 선정적인 게시물을 올리지 못 하도록 유도하면, 학생들은 자신이 보기 부적절한 영상으로부터 유해한 영향을 받는 것을 줄일 수 있어 학교폭력의 수위나 언어예절 가치관 등에 긍정적인 영향을 줄 수 있고 성인들은 게시물을 올리기 전에 자신이 올리려는 게시물이 정말 부적절하지는 않은지 같은 질문을 스스로에게 던져 다시 한번 확인하고 게시물을 올릴 수 있도록 합니다. 또 본인 인증을 통해 학생 성인할 것 없이 모두 자신의 행동에 대해 책임지고 문제가 발생시 기업이 SNS 어플리케이션 범죄에 연루될 수 있다고 판단하면 그 즉시 계정에 대한 정지와 더 이상 변경하거나 증거인멸을 하려고 하는 정황을 포착하면 기업이 나서서 문제를 해결하고, 그 문제가 심하거나 법에 위반하는 행동을 할 때 상황을 해결하는데 수사기관에 정보를 제공하고, 피해자와 피의자의 합의 등을 도와 피해자를 피의자로부터 보호하는 것입니다. 이렇게 기업이 디지털에 관한 인성교육을 하는 방법을 알아 보았는데요. 이제는 디지털에 관한 사회의 인성교육 방법을 알아보자면 사회에서 개인에게 줄 수 있는 영향은 분위기, 통념 등과 같은 것이 있습니다. 여기서 분위기는 예시를 들어 설명하자면 학군으로 설명할 수 있을 것 같습니다. 학군은 중학교와 고등학교의 통학 가능한 범위를 지정하고 그 범위 내의 학교들을 합친 학교의 군입니다 그리고 이 학군마다 환경이 꽤 다른데 예를 들어 서울특별시는 1학군부터 11학군까지 있습니다. 1학군은 동부 교육 지원청에 속한 동대문구와 중랑구, 2학군은 서부 교육 지원 청에 속한 마포구 서대문구 은평구 3학군은 남부 교육 지원 청에 속한 구로구, 금천구, 영등포구가 있습니다. 이 외에도 11학군까지 다양한 학군과 지역들이 나눠져 있습니다. 그리고 지역과 학군마다 학습환경과 학업 성취도 등도 다양합니다. 개인 마다 다르겠지만 서울 경기의 학군과 지방의 학군은 학업 성취도 차이가 많이 나는 경우가 있습니다. 이렇듯 개인과 개인이 모여 사회를 이루어 서로에게 영향을 주고 이는 지역, 종교 등과 같이 여러 요인에 따라 기준이 달라집니다. 이러한 것을 보고 사회적 분위기가 중요하다는 것을 알 수 있습니다. 그러한 사회적 분위기를 인성교육에 활용하는 방법은 어떤 것이 있을까요?

첫 번째는 서로 친근하게 지내는 것이 있습니다. 요즈음 많은 곳에서 도시화가 진행되면서 옛 마을과 촌에서 그러하였듯 서로 이웃에게 인사하고 서로 대화도 많이 하는 등 이웃끼리 친하게 지내는 문화가 줄어들었습니다. 도시화로 사회에서는 개인주의 성향이 강해졌고 이와 같은 일이 심해지면 이기주의형태로 변질할 수도 있습니다. 여기서 말하는 개인주의와 이기주의의 차이를 명확히 알아야 합니다 개인주의는 어떠한 피해가 있을 때 그 피해에서 자신은 피해를 보지 않길 원한다면 이기주의는 자신만 제외하고는 모두 피해를 봐도 상관없고 피해를 받는 상황에서 자신만 살기를 원하는 것이 이기주의라고 할 수 있습니다. 그리고 개인주의가 심화하여 이기주의 형태로 변질하면 타인에게 관심이 없어지고 사람들 간에 관계가 2차적 관계로 보는 등의 문제가 생길 수 있습니다. 2차적 관계가 확장되면 인간소외 같은 문제가 생길 수 있는데 인간소외 같은 문제가 생기면 그 빈자리를 채우기 위해 물질 만능주의와 자신을 제외한 타인에게 관심이 없어서 결혼을 하지 않거나 아이를 낳지 않아 저 출생이 심화하는 것과 같은 문제 또한 생길 수 있습니다. 그래서 서로 친하게 지내는 사회 분위기를 만들어 사람들이 서로에게 관심을 두고 사람들 사이에서 따뜻함을 느낄 수 있도록 하는 것이 중요하고 서로 친하게 지내는 분위기의 장점은 또 있습니다. 그것은 아이들을 키우는 데에도 도움이 되는 것입니다. 요즘 저출산 문제로 출생률이 낮아져, 0.7명꼴로 아이를 낳아 아이들이 예전보다 심각할 수준으로 없어졌습니다. 그러한 원인이 전에서 제시한 도시화가 진행됨에 따른 개인주의가 영향을 끼친 것으로 생각합니다 아이는 마을 모든 사람이 키운다는 말이 있습니다. 이 말을 이해하기 쉽도록 예시를 들어 본다면 만약 부모가 직장에서 일하여 불가피하게 아이를 볼 수 없는 상황에서 아이가 어떤 위협이 있을 때 그것을 지켜줄 수 있는 것은 마을 사람들이라는 뜻입니다. 또 아이가 다치거나 친구들과 노는 것 건강하게 자라고 안전하게 자라는 것들이 부모의 노력도 있겠지만, 한 마을에서 많은 사람이 아이를 잘 보살펴주기 때문이라고 할 수도 있습니다. 하지만 현재 도시는 도시에서 개인주의 성향이 커져 다른 아이에게 크게 관심을 두지도 않고, 아이가 아니더라도 그저 타인에게 관심이 없어 대화도 하지 않는 경우도 많습니다, 또 이어서 친하게 지내는 분위기의 장점이 있는데 전 이야기와 연결되는 아이의 인성교육에 관한 이야기 입니다. 우선 아이의 인성교육에 관한 이야기라고 하였지만, 이 이야기는 아이들만 이야기하는 것이 아닌 학생, 어른들, 학부모도 모두 포함하는 것입니다. 왜냐하면, 학생들은 보통 학교에서 주로 시간을 보냅니다. 물론 학교에 선생님들과 행정업무를 맡고 계신 분들이 계십니다. 하지만 주로 시간은 자신과 같은 또래들, 같은 반 동급생 친구들과 시간을 보냅니다. 이러한 것은 지극히 정상적이지만 가치관과 생각은 나이, 성별, 지역, 경험 등 여러 요인으로 달라집니다. 그래서 학생들이 모두 같은 경험은 아니지만 비슷한 경험과 같은 지역에서 학창시절을 보내는 것, 비슷한 나이 또는 같은 나이 등의 이유를 통해서 비슷한 가치관을 가지고 비슷한 생각을 하는 경우가 있습니다. 그렇게 자신 주변에 자신 또래들과 대화한 학생들은 자신과 나이 차이가 많이 나는 어른들과 생각이 다르면 예전 사람이라, 또는 속된

말로 '꼰대'라고 생각하면서 자신과 생각이 다르다고 생각할 수 있습니다. 이러한 생각들의 원인은 앞 전에서 계속 언급한 같은 또래끼리만 대화를 하였던 것입니다. 같은 또래끼리 대화를 하는 것은 정상이라고 말해놓고 왜 이것이 문제일까요? 정답은 자신과 비슷한 경험과 나이 지역 등으로 공통점으로 친하게 지내기가 더 쉽고 더 빨리 더 깊이까지 친해질 수 있습니다. 하지만 그 얘기를 다른 말로 풀어본다면 '비슷하여서 친하다'고 설명할 수 있습니다. 그럼 그러한 사람들만 모인다면 좋은 사회가 구축될까요? 제 생각에는 아닙니다. 왜냐하면, 지금은 비슷한 경험을 통한 공통점으로 친하게 지내지만 성장하고 시간이 지남에 따라 다양한 경험을 통해 서로 공통점보다 차이점이 커진다면 계속 공통점이 많은 사람만 친하게 지내온 사람들은 차이점이 더 많은 사람과 친하게 지내는 법을 모를 것입니다. 왜냐하면, 공통점이 많고 자신과 비슷한 생각을 하는 사람들은 자신이 다른 사람을 이해하지 않이도 자신과 생각이 비슷하여서 더 편하게 지낼 수 있습니다. 하지만 이렇게 편하게만 지낸다면 자신과 생각이 다른 사람들을 이해하는 능력이 떨어지게 되고 결국엔 자신과 비슷한 사람들만이 자신의 인간관계가 됩니다. 그렇게 하던 중 다른 사람들은 자신과 생각이 다른 사람들과도 잘 지낸다면 결국 혼자로 남게 됩니다. 또 다른 것은 자신을 찾는 것입니다. 자신과 생각이 비슷한 사람들과 대화를 나누는 것은 좋지만 그러한 사람들과만 대화하는 것은 자신을 찾지 못하게 방해가 될 수도 있습니다. 이 말은 자신이 지금 좋아하고 있는 것이 자신이 진짜로 좋아하는 건지, 아니면 그 일정한 범위에 있는 사회 구성원들이 좋아하기 때문에 내가 좋다고 생각하는 지와 같은 진정한 자신을 알아가는 것을 방해될 수 있습니다. 그래서 친하게 지내는 사회적 분위기가 형성되어 같은 또래를 제외하고도 나이, 지역이 다른 사람들과 자신과 생각이 다른 사람들, 다른 경험을 한 사람들 등등 다양한 사람들과 대화하고 자신과 생각이 다른 것을 이해하고 그것을 공감하려는 훈련을 통해 이후에 사회로 나가 직장 또는 개인사업을 하더라도 원만한 인간관계를 유지하고 다른 사람들의 생각을 이해하고 공감해줄 수 있습니다. 또 다음 예시는 어른들의 상황입니다. 어른들은 보통 직장생활을 합니다. 그래서 학생들이 학교에서 적은 범위에 인간관계에서만 생각을 나누고 대화하는 것보다는 더 많은 나이를 경험할 수 있습니다. 하지만 직장은 대화하고 휴식을 취하러 가는 곳이 아닌 만큼 이야기가 업무에 관한 이야기가 많고 그것을 제외하고 개인적인 질문은 거의 하지 않습니다. 또한, 학생들보다 더 많은 나이를 접할 수 있음에도 직장에서는 업무에 대한 이야기가 주이기 때문에 다양한 나이들의 생각을 접할 수 없고, 실질적으로 학생들의 상황과 별반 다를 것이 없는 상황입니다. 이러한 상황에 친하게 지내는 사회 분위기를 형성한다면 회사에서는 업무적인 이야기만 하더라도 회사 즉 직장 밖에서는 자신의 개인적인 이야기를 할 수도 있고, 서로의 대한 속상했던 점과 좋았던 점과 같은 특별하진 않아도 서로 이해하기 위해서 알면 좋은 그러한 일들과 간단한 시사나 경제 등 여러 분야에 대해서 개인의 생각들을 알아보며 서로 알아가고 서로에 대해서 더 잘 이해하여 가깝게 지낼 수 있습니다. 또 부모들은 예전보다 아이를 적게 낳기 때문에 아이가 하고 싶다는 것을 모두 하려 하는 방향으로 육아하는 사람들도 있고, 육아에 대한 경험이 없어, 아이를 어떻게 육아해야 하는지 갈피를 잡지 못하는 부모들도 있습니다. 이러면 아이가 하고 싶은 것을 모두 시키려는 부모들의 경우에는 마음은 이해하되 그것 때문에 타인에게 피해를 주지 말아야 하는데 그것의 경계를 잘 몰라 타인에게 피해를 주고, 같은 피해를 주는 행동을 반복하거나 아니면 어떻게 대처해야 하는지 모르는 부모들이 서로 친하게 지내는 사회분위기가 된다면 쉽게 조언을 구할 수 있고, 자신의 아이가 하고 싶은 것을 해주려 하면서 타인에게 피해가 가는 경계를 알아가는 과정에서 이웃끼리 서로 배려할 수 있습니다. 예를 들어 아이가 하고 싶은 것을 거의 모든 것을 시켜주고 싶은 부모들은 아이가 만약 집에서 뛰어다닌다면, 타인에게 피해가 가기 때문에 아이가 하고 싶은 것이라도 막게 합니다. 하지만 밑층에 사시는 이웃들이 그것을 알고 조금 이해를 해주거나 매트를 까는 등에 조언을 통해 서로의 조율을 통해서 더 좋은 합의점을 찾게 됩니다. 다음은 아이를 키우는 것에 대해 잘 모르는 부모들입니다. 부모들은 자신의 부모님께 여쭤보는 방법도 있지만, 나이가 많은 부모님께 짐을 드리는 것 같아 주저하는 때도 있습니다. 그럴 때 이웃들과 친하게 지낸다면, 이미 육아를 해본 사람, 아이를 키우고 있는 사람, 아이를 이제 막 가지게 된 사람, 아이를 키우려고 계획 중인 사람 등과 같이 다양한 사람들이 있기 때문에 조언을 구하는 것도 도움을 청하는 등에 서로에게 도움을 주는 관계로 나아갈 수 있습니다. 그렇게 서로에게 도움을 주고받으며, 더 친밀한 관계로 발전할 수 있습니다. 친밀한 관계가 됨에 따라 부부와 이웃관계도 좋아지겠지만 부모로서 자식이 이웃들과 원만하고 친밀하게 잘 지내면서 인간관계를 잘 유지하며 지낸다면 그것만큼 좋은 것이 없을 것입니다. 마지막으로는 아이의 인성교육입니다 여기서 말하는 아이는 학생이 아닌 3~7살 정도의 아이를 말하는 것입니다. 또 이곳에서는 아이의 인성교육에 친하게 지내는 사회적 분위기에 대한 설명을 조금 더 할 예정입니다. 앞 내용과 비슷하게 아이가 인성교육이 되기 위해서는 많은 사람과 대화하고 다른 사람의 감정과 생각을 이해하고 공감하는 것이 중요하다고 생각합니다. 이러한 능력을 기르는 것 역시 경험을 통해서 길러지는데요. 이러한 경험을 쌓기 위해서는 이웃들을 만나고 인사하고 사교성을 기르는 활동을 해야 합니다. 아이들은 보통 어린이집에서 놀이를 배우고, 친구들과 관계를 맺습니다. 그리고 시간이 조금 더 지나면 유치원에 가서 기본적인 수학이나, 한글과 속담 같은 간단한 지식을 배우고, 어린이집과 같이 친구들, 또래들과 놀면서 사교성을 기릅니다. 하지만 언어를 배우는 중이며, 친구와 어른은 다르다는 것을 잘 모르거나 알더라도 그것을 달라서 어떻게 해야 하는지 모르면 모르는 어른에게 반말하거나 정말 어른과 자신이 친구인 것처럼 생각할 수도 있습니다. 그러면 어른들에게 예의 없는 행동을 할 수 있고, 그러한 행동은 나이가 어려 아직 배우는 중인 아이 떼는 그나마 괜찮지만, 어릴 때 잘못된 행동을 할 때 잘못을 짚어주고, 고쳐주지 않으면 학생 때 성인이 되고 나서도 잘못된 행동을 이어갈 수 있습니다 그래서 사람들이 친하게 지내는 분위기 속에서 같이 친하게 지내기 위해서는 아이도 예의를 지키며, 말하고 행동을 해야 한다는 것을 알려주는 것이 중요합니다. 그래서 많은 어른을 만나보고 어른에 대한 존경심을 키우고 어른을 어떻게 대해야 하는지를 경험을 통해 알게 해야 합니다. 그러한 경험들은 아이가 어른을 어떻게 대해야 지에 관한 인성함양을 기를 수 있습니다.

다음은 인성교육에 대한 국가의 역할입니다. 국가의 역할은 크게 공익광고, 법과 제도, 큰 행사 등을 이용한 방법이 있습니다. 국가는 지금까지 제시한 것과 제시할 것 중에서 국가는 가장 영향력이 크며, 국가는 국가 정책에 따라 인성교육의 성공 여부와 교사와 학교에 교육방식, 사회적 분위기, 학생의 역할 모든 것에 영향을 줄 수 있습니다. 그래서 더욱 더 신중해야 하고, 교육정책이 쉽게 변하지 않는 것들의 원인이 이것이라고 생각합니다.

공익광고에 관해서 소개를 해보면 공익 광고는 인성과 연관하여 사회적으로 문제 되고 있는 한 사례나 현상을 공익 광고로 제작하여, 인성 관한 사회적 문제의 경각심을 가지게 하여 인성 때문인 문제와 사고들이 일어나지 않도록 문제 발생을 막고, 이미 일어난 일이라면 재발이 일어나지 않도록 막아야 합니다. 예를 들어 '더 글로리'라는 드라마를 통해 학교폭력에 대해 경각심을 가지고 많은 사람은 학교폭력에 대해 분노하였습니다. 그러한 것처럼 국가에서 많은 사람이 공감할 수 있는 인성과 관련한 주제를 설정하고 그것을 공익광고로 만들어 그것을 통해 사회문제에 더 관심들 두고 문제를 알고 해결할 수 있는 사회적 분위기를 만드는 것이 중요합니다.

다음 방법은 법과 제도입니다. 한국은 처벌의 목적을 교화에 두고 있어서 그런지 다른 나라들과 비교해보았을 때 강도가 약합니다 그리고 사형을 시행하진 않지만, 사형 법은 존재하는데 사형을 시행하지 않아 무기징역과 같은 처벌을 받습니다. 제가 사형제도로 단편적인 예시를 말을 했지만 말하고 싶은 것은 사형제도를 복구하자는 것이 아닙니다. 그만큼 우리나라의 법이 약하다는 것을 강조하기 위한 말 이였습니다. 그리고 우리나라 법은 형량이 적고 약한데 '촉법소년'들은 소년법으로 처벌을 받아 형량이 더 줄고, 처벌의 수위가 더 낮게 처벌을 받습니다. 그리고 '촉법소년'이라는 제도를 통해서 학생들이 잘못한 것에 대한 처벌이 수위가 낮아서 자신의 행동에 책임을 지지 않고, 자신이 무엇을 어떻게 잘못했는지도 잘 알지 못하고 다시 잘못된 행동으로 빠지는 예도 있습니다. 그러한 경우를 막는 방법은 모두가 알고 예상하셨다시피 바로 법률 제정인데 이 법률제정으로 법의 수위를 높이는 것입니다. 예를 들어서 아직 우리나라는 저소득층이 있긴 하나 그 때문에 범죄를 저질러 사회적으로 큰 물의를 일으켜 피해를 만드는 수준은 아닙니다. 하시만 현재의 법률에서는 생존 때문인 불가피한 범죄가 아님에도 범죄가 일어났습니다. 여기서 처벌의 수위를 높인다면 불가피하게 범죄를 저지르는 일 중에서 절도와 도난은 불가피한 범죄가 일어나는 것이 급격히 줄 것입니다. 또 처벌의 수위가 증가해서 생기는 문제도 분명 있을 것입니다. 그것 중 가장 큰 하나는 누명에 씐 피의자가 생기는 것에 관한 것인데, 이러한 문제는 수사기관에 조금 더 투자해 착오가 없도록 철저히 조사하도록 해야 합니다.

마지막은 학생의 역할입니다. 학생의 역할은 다른 역할들보다도 더욱 할 일이 많습니다. 정부는 자신들의 정책이 다른 곳에 크게 영향을 주어 조심해야 한다고 한 것처럼 학생들은 인성교육을 받고 그것으로부터 사회를 구축해갈 인재들이기 때문에 학생들이 가장 해주어야 할 일이 많고 어깨가 무거울 수 있다고 생각합니다. 그럼 이제 역할을 알아보자면,

첫 번째는 다름을 인정하는 것입니다. 모든 사람은 같지 않고, 모두 다릅니다. 그리고 이 다름을 인정하는 것은 상대방을 이해하고 존중하기 위한 첫

번째 발걸음이 될 것입니다. 자신과 타인이 다르다는 것을 인정하지 않는다는 것은 상대방을 무시하는 것과 같은 행동일지도 모릅니다. 한 예시를 들어보자면, A라는 사람은 운동을 못하지만, 공부는 잘하는 학생이고 B는 운동을 잘하지만, 공부는 잘 못하는 학생이라고 가정했을 때 A와B는 서로 다릅니다. 하지만 여기서 A와B는 같다고 이야기합니다. 그러곤 A와 B에게 똑같이 운동을 시킵니다. 그렇다면 결과는 어떨까요? 당연히 A가 더 잘할 것입니다. 하지만 다름을 인정하지 않는 사람들은 B에게 노력이 부족했다는 말을 하곤 합니다. 반대의 상황 또한 마찬가지입니다. 반대의 경우에는 당연히 B가 A보다 더 공부를 잘할 것이며, 그 상황에서 다름을 인정하지 않는 사람들은 A에게 노력이 부족했다는 말을 할 것입니다. 이러한 두 상황은 모두 A와 B에게 실례되는 생각입니다. 그럼 다름을 인정했다면, A와 B는 서로 같은 분야에서 경쟁했을까요? 정답은 아닙니다. A는 B보다 운동을 더 잘했기 때문에 다름을 인정했다면, A는 운동을 하게 하고 B는 운동이 아닌 공부를 하도록 하였을 것입니다. 또 다름을 인정하면 타인을 존중하는데도 영향을 주는데 서로 다름을 인정하기에 상대방이 어떤 부분에 민감하고, 어떤 부분에 긍정적인 반응을 하는지를 알 수 있습니다. 그래서 상대방이 불편해한다고 생각하는 부분을 최소화하며, 상대방이 좋아하는 행동을 최대화하는 것이 쌓여 배려가 됩니다. 이러한 경우가 심해져, 타인에게 너무 의지하고 남에게만 맞추는 것도 문제가 되지만, 자신이 가능한 선에서 상대방을 생각해 주는 것이 배려가 된다고 말할 수 있습니다. 정리하자면, 다름을 인정하는 것은 상대방을 존중하는 것과 상대방을 배려하는 것까지 영향을 줍니다.

두 번째는 태도입니다. 태도의 **종류**는 다양한데 여기서 말하려는 태도는 타인을 대하는 태도와 배우려는 태도입니다. 보통 사람들은 윗사람을 대할 때는 예의를 지키라는 식으로 많이들 이야기합니다. 그리고 이 말은 틀리지 않습니다. 하지만 이 말은 윗사람들에게 예의 있게 대하라는 말이지, 윗사람에게만 예의 있게 대하라는 것이 아닙니다. 따라서 이 말을 해석을 잘못하게 되면 자신보다 아랫사람에게는 예의를 차리지 않아도 된다는 뜻으로 해석되기도 합니다. 그래서 보통 사람들은 자신보다 어린 사람이거나 낮다고 생각하는 사람과 이야기할 때. 초면인데도 불구하고, 반말하고 말을 험하게 하는 예도 없지 않은 것 같습니다. 그런 상황일 때 반말과 예의에 어긋나는 대우를 받은 상대는 보통 어떤 반응을 보일까요? 보통은 그냥 넘어가는 경우가 많습니다. 그래서 상대가 자신보다 낮다고 판단하여, 반말과 예의 없게 구는 사람들은 자신의 문제점을 찾지 못하고 다른 사람에게 또 같은 행동을 반복할 것입니다. 그렇다면 그런 대우를 받은 사람들은 그 사람은 무례하다고 생각할 것이고 그 사람과 더는 만남을 하지 않거나 줄여 점점 멀어지게 되고, 무례한 대우를 받은 사람도 더는 공손하게 대우할 필요를 느끼지 않아 무례하게 행동할 것입니다. 이를 통해서 자신이 에우를 갖춘 대우를 받고 싶다면 자신이 먼저 타인을 배려하고 예의를 갖추어 말하는 점이 필요하다고 생각할 수 있습니다.

그 다음은 배우려는 태도입니다. 요즘은 학교에서 공부만이 직업을 얻을 수 있는 수단 전부가 아닙니다. 그래서 학교에서 배우는 것을 소홀히 하려는 태도를 많이들 보입니다. 일반고등학교를 제외하고 공업고등학교 예술고등학교 특성화 고등학교 등 여러 방안이 있지만, 이곳에 자신이 원하는 것이 전부 없을 수 있습니다. 하지만 제가 말하고 싶은 것은 학교는 성적을 내기 위한 공부만을 하는 곳이 아니라는 겁니다. 선생님께서 수업할 땐 내가 어떤 것을 해야 하는가? 혹은 어떤 것을 하면 안 되는가? 그리고 내가 한 학급이라는 곳에 속하여 역할을 배정받고 그 일을 책임지고 해결하는 경험, 또 친구들과의 교우관계를 통해 어떤 것을 해야 인간관계를 더 넓히고 다양한 사람들을 이해할 수 있을지 선생님 같은 어른께 이야기할 때는 어떻게 이야기해야 하는지 등등 여러 것들을 배우는데 학교라는 곳을 교과 공부만 하는 곳이라고 지칭하기엔 무리가 있다는 것입니다, 따라서 학생들은 배우려는 태도를 갖추어야 합니다. 또 자신이 필요 없다고 생각하고 배우기 싫은 부분도 있을 것입니다. 그래도 그것을 참고 해본다면 그러한 자신이 하기 싫고 도망가고 싶은 상황마저도 참고 자신이 싫어하는 일과도 마주쳐보는 경험이 학생이 살아가는 데 큰 도움이 될 것입니다. 그러한 경험들에 도움이 되는 예시는 학생이 성인이 되었을 때 직장에 다니기 싫고 경제활동을 하기 싫을 때로 예시를 들 수 있는데 아무리 자신이 경제활동을 하기 싫다 한들 자신이 경제활동을 하지 않는다면 아무런 이익도 얻을 수 없게 됩니다. 그렇다면 세금 납세의 의무를 지키지 못하고 집을 구할 수도 없고, 당장 배가 고파도 어쩔 수 없이 국가가 지원해줄 때까지 국가에 의존하며 살아야 합니다. 그러한 힘든 상황까지 갈 수 있는 것을 자신이 싫어하는 것도 참고 견디는 경험이 있다면 적어도 아예 견디지 못하여 자신의 모든 것을 포기하고 국가에 의지하며 살아가지 않아도 된나는 발입니다. 또한, 이러한 태도는 학교에서만 존재하는 것이 아니라 살아가는 모든 곳에서 이러한 태도를 갖추어야 합니다. '옛말 중에 나쁜 사람에게도 배울 점은 있다.'라는 말이 있습니다. 이 말은 나쁜 점을 배우라는 것이 아닌 나쁜 사람에게도 일반 사람들이 배울 점이 있다는 것입니다. 또한, 의외로 나쁜 사람에게는 배울 점이 많습니다. 예를 들어 자신만 보살피는 부모가 있다고 했을 때 이 부모로부터 저희는 자신을 보살피는 방법을 깨달을 수 있습니다. 또한 그 잘못된 점을 반면교사라고 하며 잘못된 행동을 한 사람을 보면서 저런 것을 하면 안 되겠다는 것을 학습하는 것으로 이러한 예시에서는 자신'만' 보살피는 것을 반면교사로 삼아 배울 수 있습니다. 이제 글을 정리하며, 마무리하려고 합니다. 우선 이 책에서 1부에서는 인성교육의 역사, 인성교육의 필요성과 목적을 설명하였고 2부에서는 설문조사를 통해 알아본 학생들과 교사들의 인성교육 현황에 대한 의견을 설명하였습니다. 3부에서는 인성교육의 방식과 내용과 성과와 한계 그리고 그에 관한 사례들을 알아봤습니다. 그리고 4부에서는 3부에서 제시한 현재 인성교육의 문제점을 해결할 방안을 교사와 학교의 역할 기업과 사회의 역할 정부의 역할 학생의 역할로 나누어 제시하였습니다.

5부

마지막 정리 및 전하고 싶은 말

마지막 정리

이 글에서는 현재의 인성교육이 잘못되고 있다는 것을 사례와 함께 제시하며, 이해를 돕고 인성교육은 누구 한 분야의 역할이 아닌 모두의 역할이라고 말하고 싶었습니다. 그리고 그에 대한 노력으로는 개인만 노력하는 것으로는 부족하며, 사회와 국가가 함께 인성교육에 대해 관심을 두고 인성문제에 대해 더 경각심을 가져야 한다고 생각합니다. 문제와 해결방안을 연결하여 짧게 정리하여 본다면, 저출산 때문인 경험 부족으로 인성교육을 잘하지 못한다는 문제가 있었는데요 이러한 문제는 모두가 배려하고 존중하며 친하게 지내는 사회를 만들어 현재의 이웃 간에 무관심 문제를 해결하고, 아이를 키우는 방법에 대해서와 인성교육 방법에 대해서 서로 조언을 얻고 대화하며, 도움을 주고 도움을 받는 공생관계를 만들어 가는 것으로 해결할 수 있습니다. 두 번째는 처벌의 수위가 낮아 처벌에 대해서 법을 잘 지키지 않는 모습을 보이는 것과 '촉법소년'의 범죄율 증가, 재범률 증가 같은 부분은 먼저 학교와 교사의 역할 중에서 학교의 역할로 말할 수 있는 교내 처벌 강화 더 큰 사회로는 국가의 역할로 법과 제도를 재정비하여 처벌의 수위를 높여 법을 지키는 것에 강제성을 부여하여, 범죄가 이루어지는 것을 막는 방법이 있습니다. 세 번째는 유해매체를 통한 범죄 수위증가가 있는데 이것은 기업의 역할로써 검열을 강화하여 유해매체를 단속하고 아이들을 보호하여 해로운 키워드를 사용을 금지함에 따라 점점 해로운 게시물을 올리는 사람도 찾는 사람도 적어지게 하여 해결할 수 있습니다.

전하고 싶은 말

마지막으로는 이 책에서 인성교육에 대해서 어떻게 생각하고, 더 나은 인성교육을 찾기 위해서 어떤 활동을 했는지, 그리고 이 책을 읽은 학생, 교사, 직장인, 또는 학부모, 정치인 등 분들께 마지막으로 전하고 싶은 말로 이제 정말 이 책을 마무리하려 합니다. 한 고등학교의 동아리에서 교육의 꿈을 꾸고 있는 학생들이 모여 인성교육에 관해 책과 기사 논문

등 다양한 자료를 통해 찾아보고 그것을 바탕으로 자기 생각과 의견을 더해 탐구하고 책을 읽고 독서토론을 하는 등 여러 활동을 하였습니다. 또 독서토론을 할 때는 자유 토론을 하였는데 각기 모두 인성교육이라는 내용에서도 추구하는 방향이 달랐습니다. 하지만 모두가 인성교육이 중요하고 살아가며 필요한 교육에 기본이라고 생각하는 것은 같았습니다. 그래서 이 책의 주제를 인성교육으로 결정하였고 탐구와 토론을 통해 활동한 내용이 모여 인성교육 탐구한 내용으로 시청에 인성교육에 관한 건의를 하며 더 효율적이고 효과 있는 인성교육으로 바른 사회를 만들어가도록 이바지하였습니다. 마지막으로 이 책을 읽어주신 독자분들께 감사의 말씀을 올립니다. 첫 집필이라 강도 잡지 못하고 인성교육의 많은 내용과 사례들을 포함하여 글을 집필하려다 보니 어색한 부분도 있었고, 글이 난삽하게 길어진 것 같기도 합니다. 그래도 인성교육에 관심 있는 독자분들이 읽었을 때 원하는 기승전결이 있어야 한다고 생각했고 인성교육의 역사부터 현재를 거쳐 문제 해결방안까지를 제시해야 더 좋은 내용을 담을 수 있을 것 같다고 생각했습니다. 물론 이 책에서 추구하는 인성교육이 주관적인 내용을 바탕으로 써진 것이기 때문에 다 맞진 않을 수 있습니다. 또 실질적으로 현재에서는 실현할 수 없는 부분도 없지는 않을 것입니다. 하지만 언젠가는 가능할 것이며, 이 책에서 제시한 방법이 아니더라도 더 좋은 방법으로 점차 나아갈 것이라 믿습니다. 그리고 그러한 더 좋은 인성교육이 모여 더 좋은 인성이 만들어지게 되고, 올바른 사회가 구축되며, 차후 사회 구성원 모두가 서로 존중하고 배려하는 사회가 만들어지리라고 꿈꿔봅니다.